Storica paperbacks   /  70.

I lettori che desiderano informarsi
sui libri e sull'insieme delle attività della
Società editrice il Mulino
possono consultare il sito Internet:

**www.mulino.it**

Ernesto Galli della Loggia

L'identità italiana

Società editrice il Mulino

ISBN   978-88-15-13974-0

# Indice

Capitolo primo

# Una straordinaria posizione geografica

L'insieme di terraferma e di isole del continente europeo in cui consiste l'Italia odierna riunita in Stato si stende tra i 6 gradi 37 primi e 5 secondi della longitudine a Est di Greenwich e i 18° 31' e 2" della medesima longitudine, tra i 47 gradi 5 primi e 5 secondi e i 35° 29' e 4" della latitudine Nord. È tra queste coordinate, che individuano sulla carta geografica i quattro punti cardinali estremi dei suoi confini – il monte Tabor poco oltre Bardonecchia a occidente, capo d'Otranto a oriente, a nord, nel cuore delle Alpi, la Vetta d'Italia, e a sud l'isola di Lampedusa – che si stendono gli appena trecentomila chilometri quadrati o poco più (per la precisione 301.277) dell'Italia di oggi.

Non meraviglierà alcuno che per cercare d'intendere l'identità italiana si cominci con la geografia della penisola. Se per ogni paese, infatti, i dati geografici sono sempre significativi al fine di dare conto di aspetti importanti della sua civiltà, della sua storia, della sua antropologia, nel caso dell'Italia tale significatività raggiunge un vertice non facilmente eguagliabile.

Ciò è dovuto al carattere si può ben dire straordinario della posizione che sulla carta geografica occupa il nostro paese, nonché degli aspetti che per conseguenza ne derivano. L'Italia si distingue innanzi tutto per la sua centralità nell'insieme del continente europeo. La sua parte settentrionale, la pianura padana, costituisce il tramite più breve, ed assai facilmente transitabile nell'accesso da oriente, tra la penisola balcanica da un lato e dall'altro la grande propaggine franco-iberica, vale a dire tra il mondo danubiano, il Mar Nero e le grandi pianure dell'est che su di essi gravitano, da un lato, e dall'altro il mondo atlantico. Contemporaneamente, la penisola italiana, con la sua forma allungata costituisce una sorta di grande strada che dalle regioni alpine centro-europee attraversa tutto il Mediterraneo giungendo a breve, o addirittura brevissima, distanza dalle contrade dell'Africa settentrionale e del Levante.

Se si aggiungono a ciò le numerose, ottime, possibilità di riparo e di attracco che offrono le sue coste, tanto sul versante occidentale che su quello orientale, si capisce bene fino a qual punto l'Italia sia stata per ragioni naturali predisposta a divenire terreno d'incontro elettivo di correnti migratorie e di esperienze culturali, il luogo dove influssi di ogni tipo provenienti dalle diverse aree europee e mediterranee (quindi anche extra-europee) hanno avuto modo di combinarsi producendo una stupefacente e ricchissima gamma di esiti. Dalle coltivazioni alimentari al lessico, dalle forme architettoniche agli usi quotidiani, l'Italia ha ricevuto dalla sua peculiare posizione geografica una vastissima molteplicità di apporti, potendo godere tra l'altro, in tempi diversi, della prossimità geografica con i centri d'irradiazione di alcune tra le più importanti forme di civilizzazione dell'emisfero settentrionale: la Grecia classica, Bisanzio, il mondo arabo-islamico. Non stupisce che in tanti ambiti sia stata proprio l'Italia il tramite primo, il punto di transito, grazie al quale sono giunte all'Europa continentale cose, conoscenze e culture di origine non europea (tra le quali il pensiero corre subito, naturalmente, alla massima di esse, vale a dire al cristianesimo).

Di nuovo, una volta sopraggiunto il moderno sviluppo industriale, fu la vicinanza delle regioni italiane del Nord ad alcuni significativi epicentri di quello sviluppo e a i suoi mercati – si pensi al ruolo della Francia e del Belgio per i primi passi delle culture tecniche nella penisola, o all'importanza di un mercato come Lione per la bachicoltura lombardo-veneta – fu tale vicinanza ad esercitare un influsso decisivo (non l'unico, si badi) nel promuovere la crescita industriale in quelle regioni a preferenza di altre.

Se dunque è fin troppo ovvio dire che ogni paese è (anche) la sua geografia, nel caso dell'Italia questa constatazione ha però un carattere specialmente vero, principalmente a motivo di una non comune centralità spaziale all'origine di una potenziale latitudine di contatti esterni e di una conseguente molteplicità di apporti, distesi sull'arco di secoli, che non hanno eguali. Dalle terre transalpine e transmarine in relazione agevole con lei (è fondamentale questa contemporanea duplice possibilità di apporti, sconosciuta a qualsiasi altro paese del nostro continente: dall'Europa centrale e da quella mediterranea, nonché dai paesi del Maghreb e della prossima Asia), l'Italia ha potuto ricevere una mole di stimoli e di conoscenze (si tenga presente che anche un'invasione di popoli è fonte degli uni e delle altre) che valgono senz'altro a spiegarne, insieme, il particolare dinamismo storico e lo spessore di civiltà e di cultura. In fondo non esiste altro paese al mondo, se non sbagliamo, che per uno spazio di ben due millenni e mezzo circa sia riuscito non solo a non far perdere notizia di sé, non solo a restare per un motivo o per l'altro sempre ben visibile agli occhi del mondo, ma addirittura sia riuscito ad occupare così ripetutamente un posto di prima fila.

Ma tanto più è stata operante questa molteplicità di apporti esterni in quanto ha avuto modo di combinarsi con un altro aspetto della specificità geografica italiana, vale a dire la straordinaria varietà dei quadri ambientali della penisola.

La pur esigua estensione del suo territorio non impedisce infatti all'Italia di avere accanto alla zona alpina e alla montagna appenninica, con temperature minime invernali inferiori spesso a quelle di molte località dell'Europa centro-settentrionale, lunghe fasce costiere, in Calabria e in Sicilia, con clima temperato subtropicale; di ospitare insieme una grande pianura di tipo continentale con la vocazione alla coltivazione intensiva irrigua ed altrettanto ampie zone collinari, dove trovano ricetto ideale le culture tipicamente mediterranee della vigna e dell'ulivo; di includere i laghi prealpini e insieme le desolate vallate argillose percorse dalle fiumare del Mezzogiorno continentale, la fronte marittima tosco-laziale, con il suo «continuo alternarsi, integrarsi e contrapporsi dalla Versilia al Circeo di promontori, pianure, rilievi e vallate», e contemporaneamente gli altipiani granitici della Sardegna nord-occidentale, la bassa milanese dei fontanili e la Puglia delle «lame» e delle «gravine»: e ogni ambiente, poi, diverso dall'altro per diversità di vegetazione, di colori, di cielo. L'articolata frammentazione morfologica del paesaggio italiano se è certamente tra le premesse che più hanno contato nel determinare, con la frammentazione antropologica dei tanti gruppi sociali e delle tante società della penisola, anche la frammentazione della sua storia, tuttavia ha rappresentato un motivo capace come pochi di favorire l'arricchimento e la dialettica culturali: si pensi solo alle diverse capacità lavorative e adattative umane che tale diversità di clima e di ambienti ha richiesto, alle diverse forme di vita e di mentalità, di oggetti d'uso quotidiano e di tipologie urbane, che essa ha sollecitato nel corso del tempo.

Non vi è dubbio che la principale diversità di origine geografica che caratterizza l'Italia sia quella tra il Nord e il Sud della penisola. È giusto discutere se possano rintracciarsene altre di pari, o almeno paragonabile, importanza, ma la diversità Nord-Sud è di sicuro quella che più immediatamente colpisce l'osservatore e che ha dimostrato anche una più forte capacità di produrre effetti e significati simbolici così marcati e polarizzati da far pensare assai spesso ad una frattura insanabile. Torneremo su tutto ciò in un altro capitolo. Qui ci preme solo sottolineare come proprio la particolare conformazione-collocazione geografica dell'Italia abbia esposto queste sue due parti, pur distanti tra loro solo poche centinaia di chilometri (tra Bologna e Napoli c'è più o meno la stessa distanza che tra Parigi e Lione o tra Amburgo e Stoccarda) ad una pronunciatissima differenza di influenze esterne destinate in certa misura a caratterizzarne per sempre la storia.

La vicinanza con la Grecia e la facilità dell'accesso via mare permisero per esempio alla Sicilia e all'Italia meridionale di essere in rapporti con quelle civiltà fin dall'età micenea (secc. XVI-XI a.C.) e, a partire dalla prima colonia stabilitasi nell'isola di Ischia agli inizi dell'VIII secolo, di divenire meta di un gran numero di insediamenti urbani specie lungo le coste ioniche. Egualmente da sud, dall'oltremare, e più o meno in coincidenza con la nascita della Magna Grecia, giunsero sulle coste dell'Alto Lazio e della Toscana quegli elementi che, innestandosi sulla preesistente cultura villanoviana, diedero vita alla civiltà etrusca destinata, sì, a spingersi con alcune punte fino alle rive del Po, ma che si diffuse soprattutto in Toscana, Lazio e in Campania, dove si congiunse con la colonizzazione greca. Si formò così quella che uno studioso ha chiamato «una koinè culturale greco-tirrenica germinante sotto la comune influenza ionica». Non è un caso, a riprova dell'importanza che la storia ha assegnato al rapporto con il Mediterraneo in questa parte della penisola, che in essa non vi sia tuttora alcuna grande città che disti più di cento chilometri dal mare. È l'Italia, come scriveva Michelet, «jetée au milieu de la Mediterranée, comme une proie aux éléments et à toutes les races d'hommes». Ed è anche, questa, come si sa, l'Italia che venne chiamata per prima con il suo nome, allorché i Greci, per l'appunto, cominciarono a designare con esso l'intero Mezzogiorno della penisola, probabilmente per estensione del nome degli Itali, una popolazione localizzata nell'odierna Calabria.

La precoce diffusione di insediamenti urbani, di stabili ordinamenti di tipo statale, di legami commerciali a sud dell'Arno, non ha corrispettivo nell'Italia settentrionale, dove in genere il processo di definizione etnica stesso fu molto più lento, e si svolse in un relativo isolamento. Anche la romanizzazione del Nord avvenne con più di un secolo di ritardo rispetto all'Italia peninsulare, in sostanza dopo la discesa di Annibale e cioè proprio quando, paradossalmente, Roma si apprestava a diventare una potenza mediterranea.

Quanto abbiamo appena detto circa la più antica vicenda storica del Mezzogiorno ed i suoi rapporti con il mondo greco ci ricorda un dato quasi sempre dimenticato, ed invece molto importante, relativo alla collocazione geografica dell'Italia: e cioè che a causa dell'inclinazione longitudinale dell'asse della penisola, il suo sud è in realtà un sud-est. E dunque è anche un oriente.

Si tratta di un dato, come dicevo, spesso oscurato dall'ormai prevalente tipizzazione della penisola all'insegna della bipolarità Nord-Sud, ma del quale basta a dar conto una semplice occhiata alla carta geografica. Tutta l'Italia meridionale continentale oltre la linea Cassino-Porto S. Giorgio si trova in realtà più a oriente di Trieste, che è, come è noto, la città più a est dell'Italia settentrionale (e dunque la stessa Napoli si trova ad oriente della città giuliana). Ciò vuol dire che Otranto, la località più a est della penisola, si trova, ad esempio, sullo stesso meridiano circa di Budapest) e di Danzica, più a oriente di Berlino e perfino di Stoccolma, e che nella cittadina pugliese il sole giunge allo zenith ben 40 minuti circa prima che a Ventimiglia.

L'orientalità geografica del Mezzogiorno italiano dovrebbe forse indurci a pensare in termini di scansioni storiche diverse da quelle cui siamo abituati: per esempio potrebbe indurci a considerare i 2.000 anni che vanno dal 1000 a.c. al 1000 d.C. come un blocco di secoli che vedono, in quelle contrade, 6-7 secoli di dominio romano contrapporsi a ben il doppio circa di dominio greco prima e bizantino poi (arabo per la Sicilia). Ma prima di esaminare le molte implicazioni storiche di questa decisa torsione verso oriente dell'Italia meridionale, bisogna soffermarsi a considerare ancora alcuni aspetti di natura apparentemente più geografica benché, come vedremo subito, della massima importanza anch'essi per l'identità italiana.

L'inclinazione dell'asse della penisola dà conto del perché, secondo una consuetudine che probabilmente risale all'età classica e arriva fino alla carta d'insieme di Giacomo Gastaldi del 1561, l'orientamento dei mari che circondano l'Italia veda il più delle volte l'Adriatico situato a Nord e il Tirreno a Sud, mentre la penisola è tutta proiettata da Ovest a Est. Questa figurazione cartografica che suggerisce immediatamente uno stretto rapporto con l'Oriente dell'Adriatico e delle regioni meridionali, ha però soprattutto il merito, se così si può dire, di rendere manifesto un problema quanto mai significativo dell'immagine nonché della realtà della penisola: l'incidenza e il significato del ruolo divisorio svolto dalla catena appenninica.

La coscienza romana più antica sentì così fortemente questo ruolo, insieme alla percezione di una penisola orientata in senso est-ovest anziché nord-sud, da considerare come Italia vera e propria solo il versante tirrenico, mentre quello adriatico veniva relegato in una estranea lontananza abitata da «Greci» e «Celti». Questa idea – rafforzata dai contatti assai più intensi stabiliti storicamente da Roma con le regioni meridionali anziché con quelle settentrionali, a motivo soprattutto dell'approvvigionamento alimentare – è ancora ben presente in età

13

augustea negli scritti di Vitruvio, anche se ormai troviamo già largamente diffusa e radicata la concezione, cui dà
voce Livio, che siano le Alpi il «prope inexuperabilis
finis» dell'Italia.

La divisione della penisola in seguito alla caduta del-
l'Impero, con l'emergere di un'Italia longobarda e di
un'Italia bizantina, esilmente divise dalle terre della Chiesa,
era destinata a ridare vigore al sentimento di una «penisola» la cui linea divisoria per così dire vocazionale fosse
rappresentata dalla catena di monti che ne percorre la
dorsale. Ne è prova, naturalmente, il celebre «bel Paese
che Appennin parte» di Dante, ma più ancora, come è
stato osservato, quel passo dello stesso nel *De vulgari
eloquentia* che in una traduzione cinquecentesca suona a
questo modo: «la Italia è primamente in due parti divisa,
cioè nella destra e nella sinistra, secondo il giogo del-
l'Appennino».

In realtà, l'idea di un ruolo divisorio forte dell'Appennino non può che tornare di continuo ad affacciarsi
essendo fondata su una constatazione geografica e storica indiscutibile, come innanzi tutto è quella circa la difficoltà di comunicazioni tra i due versanti appenninici e la
scarsità di rapporti tra la costa adriatica e quella tirrenica
della penisola.

Le due sponde d'Italia intrattengono relazioni e scambi
assai più frequenti con i paesi rivieraschi stranieri
dirimpettai che tra di loro. Livorno è ben più proiettata
verso la Spagna, la Francia o il Nord Africa che non,
poniamo verso Venezia, così come da sempre Ancona
intrattiene rapporti di ogni tipo assai più intensi con la
costa dalmata e con l'Egeo che con Napoli. Un'identica
peculiarità accomuna infine sui due versanti marittimi
l'esperienza di Genova e di Venezia, cioè dei due massimi
centri marinari italiani: il fatto è che entrambe rimasero
assai a lungo staccate dal proprio retroterra il quale ne
alimentò i traffici in misura assolutamente irrisoria.

È anche questa una conferma che di regola, come si è già accennato, le comunicazioni tra i due versanti dell'Appennino si sono rivelate quasi altrettanto difficili che quelle tra i due versanti delle Alpi.

Basti pensare che l'Appennino tosco-emiliano, la cui vetta più alta supera di poco i duemila metri, fino alla metà del '700 era attraversato solo in due punti da strade carrozzabili. Ma in generale per tutta l'Italia peninsulare interna vale la pittoresca descrizione che Guglielmo Ferrero ha fatto dell'«enorme e assurdo ingombro» costituito dalle montagne che la percorrono: «false montagne senza ghiacciai, dalle sommità troppo calde, senza serbatoi d'acqua che diano vita a qualche vero fiume o che innaffino qualche pianura. È una mostruosa spina dorsale di pietra, spessissimo arida, che da ogni lato getta contrafforti di diseguale lunghezza, di cui alcuni scendono parallelamente, altri s'intersecano in un implacabile labirinto di valli chiuse fra colline e dirupi formanti un paese a parte, separato dagli altri da barriere invalicabili».

Abbastanza paradossalmente, tuttavia, le difficili comunicazioni tra i due versanti appenninici e la pressoché virtuale separazione delle due rive marittime possono essere considerati tra i fattori che più hanno contribuito a configurare e a far percepire l'Italia come una penisola, e dunque a costruire la sua «mediterraneità».

Grazie ad essi, infatti sia la costa tirrenica che quella adriatica hanno avuto modo di rafforzare ognuna la propria identità, e di integrare le loro varie parti in un insieme di consuetudini e di intensi rapporti comuni.

La presenza catalizzatrice di Venezia e di Genova (in verità più della prima che della seconda: si ricordi che per un buon lasso di tempo l'Adriatico fu addirittura designato sulle carte come «Golfo di Venezia») non solo ha agito potentemente in questa direzione, ma è stato in virtù di queste due città che il Nord italiano si è trovato proiettato in misura poderosa verso il mare e

15

dunque verso il Sud, mentre i suoi centri continentali erano spinti ad acquisire la funzione più che altro di snodi verso l'Europa centrale dei due grandi poli marittimi. D'altra parte, solo Venezia e Genova con la loro proiezione marittima erano obiettivamente in grado di offrire al Nord direttrici espansive – una danubiano-balcanica e verso il Levante, l'altra verso lo stesso Levante e poi, a partire dalla seconda metà del '500, verso la Spagna – che la presenza di forti statualità immediatamente oltre le Alpi rendeva impossibile cercare altrove. Insomma, fino all'inizio dell'età contemporanea è stato solo grazie alle sue due città mediterranee aperte sul Mezzogiorno che il Nord italiano ha potuto avere l'occasione di partecipare a strategie economico-politiche di grande respiro, ha potuto entrare in circuiti di economie-mondo. Ma proprio facendo ciò, anche di legarsi in mille modi all'Italia meridionale: si pensi che alla metà del '600 su 2.700 centri rurali che si contavano nel Regno di Napoli, non meno di 1.200 risultavano infeudati a genovesi.

Già l'antico rapporto privilegiato di Roma con il Mezzogiorno, nonché gli ancor più antichi legami in età preromana della Magna Grecia con il mondo etrusco, avevano dato una forte spinta allo spostamento verso sud del baricentro della penisola. Ora, in età medievale e moderna, a tutto ciò si accompagna la pronunciata mediterraneizzazione dell'Italia continentale in virtù della crescita di potenza e di dinamismo economico-politico, alle sue estremità orientale ed occidentale, dei due centri rivieraschi della Serenissima e della Dominante. Se a quanto ora detto si aggiunge la ricordata dislocazione in senso nord-sud dei due versanti appenninici privi di significative comunicazioni tra di loro – dislocazione in certo senso rafforzata dal carattere anch'esso longitudinale delle identità rivierasche adriatica e tirrenica – allora si avrà un quadro abbastanza esauriente dei motivi che hanno determinato la realtà e l'immagine peninsulare, e di conseguenza la «mediterraneità», dell'Italia.

Proprio il ruolo centrale svolto da Veneto e Liguria in questa peninsularità mediterranea rende quanto mai superficiale l'ipotesi, che oggi soprattutto si va diffondendo, di una distinta vocazione geografica del Nord e del Sud del paese, di un loro supposto e contrapposto destino storico. Invece, se mai vocazione e destino indicano qualcosa essi indicano mille ambiti di interdipendenza e di integrazione. Le diversità, le pur fortissime diversità che in queste stesse pagine sono state sottolineate, lungi dal contraddire tali interdipendenza e integrazione ne sono viceversa la necessaria premessa.

Il che non vuol dire tuttavia che la mediterraneità italiana non appaia destinata ad essere comunque messa continuamente in discussione. Ciò è stato ed è specialmente vero nei tempi a noi più vicini, diciamo a partire dalla formazione dello Stato nazionale, allorché essa ha subito un'interpretazione per così dire africanista che ne ha esasperato i contenuti e il senso.

Da una parte considerevole delle classi dirigenti postunitarie la mediterraneità italiana è stata considerata, infatti, non tanto e non già come un prezioso retaggio di rapporti con la penisola balcanica e quella iberica, non tanto e non già come un'indicazione a fare del legame con il mare un momento importante dell'identità del paese, e neppure come l'esigenza che la penisola si sforzasse di rappresentare più e meglio di altri paesi il volto e insieme il braccio mediterraneo dell'Europa. Quella mediterraneità è stata sentita invece come richiamo ai miti del «mare nostrum» e della «quarta sponda», come un invito impellente ad uscire dal nostro continente e a spaziare tra Africa, Mar Rosso e Medio Oriente all'inseguimento di progetti colonial-imperialistici; come la vocazione a lasciarsi l'Europa alle spalle e a trovare fuori di essa il senso più vero della propria storia.

17

Pur prescindendo da questa forzosa contrapposizione tra mediterraneità ed Europa, resta vero però che la peninsularità, con l'implicita accentuazione unitaria a dominanza mediterranea che la sottende, presenta un insieme rilevante di problemi per un'identità italiana che si voglia effettivamente una. Al cuore di tali problemi vi è una contraddizione di natura storico-geografica che potrebbe essere compendiata (e semplificata) così: l'Italia non ha mai avuto la fortuna di essere occupata per intero da un medesimo invasore.

La pertinenza del suo pur così limitato spazio a due universi geografici diversi – quello continentale e quello mediterraneo – ha avuto come risultato, infatti, che invasioni da nord si siano giustapposte a invasioni da sud, che sfere d'influenza transalpine (francese o austriaca) si siano contrapposte a sfere d'influenza d'origine transmarina (spagnola), in una perenne incomponibilità geopolitica.

Particolarmente gravido di conseguenze è stato tale fenomeno all'indomani della caduta dell'Impero romano. Mentre la parte settentrionale della penisola vedeva l'insediamento di successive popolazioni barbariche giunte dal confine nord-orientale, che talvolta riuscirono a spingersi in alcune zone del Centro e del Sud (Spoleto, Benevento, la Puglia), la maggior parte del Sud stesso rimase nelle mani dell'impero di Bisanzio. L'Italia cominciava così a dividersi; cominciava ad essere tracciata, al suo interno, una linea di separazione tra ambiti di civiltà fortemente dissimili. In seguito, mentre nel Nord ai Longobardi si sostituiscono i Franchi, e poi a questi la dinastia degli Ottoni, nel IX secolo la Sicilia è invasa addirittura dagli Arabi, che si spingono fino a Bari, sostituiti a loro volta, duecento anni più tardi, dai Normanni, provenienti dall'area scandinava, ai quali era già riuscita l'impresa di porre sotto il proprio dominio tutto il Mezzogiorno continentale.

Come si vede, appena cessato il dominio unificatore

romano (unificatore tra l'altro dello stesso Mediterraneo, attraverso il dominio di tutte le sue rive), l'Italia ritorna ad essere esposta all'influenza delle varie, potenti spinte civilizzatrici, ognuna carica di ambizioni egemoniche, che su quel mare tradizionalmente convergono da tre continenti per incontrarsi e scontrarsi. In un contesto del genere, così difficile e potenzialmente così affollato di linee di frattura, la peninsularità dell'Italia, dislocando geograficamente il suo territorio in due ambiti assai diversi – il sud marittimo e il nord terrestre – non può che presentarsi con un massimo di effetto divisivo. E tanto più, paradossalmente, se questa peninsularità com'è il caso italiano accoglie sul proprio suolo un fortissimo retaggio storico-civile dai numerosi tratti unitari, e se il suo baricentro è spostato a sud, cioè dove più drammatiche e incisive si fanno sentire le fratture proprie dell'area euro-mediterranea.

Ma è un destino, questo dell'Italia, che, se ci si pensa, non è solo suo bensì comune alle altre due penisole mediterranee che l'affiancano a oriente e a occidente. Sia la penisola balcanica che quella iberica, infatti, hanno vissuto come l'Italia un'esperienza radicale di divisione, conseguente ad una o più invasioni da altre aree di civiltà che sono rappresentate simbolicamente in tutti e tre i casi da quella caratterizzata per antonomasia dalla massima diversità, vale a dire dall'invasione (e dall'insediamento) arabo-turco. L'Italia ha vissuto l'esperienza della permeabilità e ne ha risentito gli effetti in una misura che può essere considerata intermedia tra quella minima della penisola iberica – dove il duro centralismo castigliano con la sua intolleranza religiosa e razziale funzionò da potente fattore di riequilibrio – e la misura massima della Balcania, che invece si trova ancora oggi alle prese con una complessa frammentazione etnica e confessionale.

In Italia, l'accessibilità umana e la permeabilità culturale, unendosi alla incomparabile varietà delle morfologie

geo-ambientali ed al precocissimo, immane, deposito sto-
rico-culturale, hanno prodotto piuttosto una capacità di
adattamento, una plasmabilità e ricettività dei quadri men-
tali e dei modi espressivi, una propensione al sincretismo,
una mobilità dello spirito, una disponibilità a immaginare
e a trovare (e però subito dopo anche ad abbandonare ciò
che si è appena trovato), che nel bene e nel male – nel
molto bene e nel non poco male – possono essere considerati tutt'insieme un tratto dell'identità del paese.

È probabilmente grazie ad esso, e grazie inoltre al
formidabile potenziale individualizzante costituito dal-
l'essere stata a suo tempo la culla della latinità e dall'essere la sede storica del Cristianesimo cattolico, è grazie
all'insieme di questi fattori se l'Italia è riuscita a tenere
sotto controllo la carica distruttiva, le oggettive spinte
disgreganti con cui la sua permeabilità geografica e la sua
storia la ponevano a contatto, e viceversa è riuscita a non
frantumarsi in mille separatezze incomunicanti, costruendo
e conservando un nome, un'immagine e un senso di se
stessa come di un sostanziale tutto.

Di questo sostanziale tutto vi sono almeno due caratteri, attinenti ancora una volta alla configurazione fisica
del paese, che hanno valso fortemente ad unificare oltre
che la realtà forse soprattutto l'immagine dell'Italia.

Il primo è rappresentato dalla povertà italiana. È questo, oggi, un dato ovvio, scontato, per ciò che riguarda la
povertà naturale della penisola. L'Italia, infatti non solo
è priva di materie prime importanti, ma anche la sua
agricoltura conta su condizioni tutt'altro che favorevoli.
Ciò dipende innanzi tutto dalle caratteristiche del suolo,
tutt'altro che adatto alla coltivazione, vuoi per ragioni
orografiche che per ragioni climatiche. La superficie della penisola, infatti, è solo in scarsa parte pianeggiante,
perlopiù essendo costituita da terreni collinari se non da
rilievi maggiori. Non basta: almeno fino a pochi decenni
fa molti dei terreni pianeggianti situati lungo le coste

erano sottratti all'agricoltura dalla loro condizione palu-
dosa: un caso che ripeteva sul mare il fenomeno diffusis-
simo anche nelle zone interne italiane dell'impaludamento
dei compluvi, che rendeva spesso inutilizzabili proprio le
zone più fertili. Per fermarsi alle coste basterà dire che al
momento dell'Unità le «maremme» occupavano ben un
quarto di tutto il territorio toscano. Era però nel Mezzogiorno che le paludi – e la malaria (presente fin dal V
secolo a.c.) che ad esse sempre si accompagnava – erano
più frequenti. Ecco cosa scriveva un viaggiatore straniero
alla fine del '700 riferendo di un suo viaggio nel Sud: «Le
plaghe più deliziose della parte più meridionale d'Italia
sono affette da questa pestilenza, e (...) senza nominare le
famose paludi pontine, il male è comune nella parte bassa
della provincia di Teramo e nell'Abruzzo; vicino al mare
in quasi tutta la parte superiore della "Terra di lavoro";
in tratti estesissimi di Puglia e in entrambi i due Principa-
ti; in quasi tutta la costa delle Due Calabrie e in una
considerevole parte della Sicilia. Dal principio di giugno
sino a quasi la metà di novembre queste contrade esalano
dei vapori mortali; e l'infelice viandante che è lì sorpreso
dal sonno, subito sente rilassamento e pesantezza nelle
membra, un penoso mal di testa (...): tutti prodromi di
una febbriciuola che in breve diviene infettiva portando-
lo in poco tempo alla tomba».

Era – ed è – poi il clima a non essere particolarmente
favorevole alla coltivazione, specie per la compresenza
tipicamente mediterranea (ma in Italia comune anche al
Nord) di eccessi termici e di scarsità di precipitazioni,
per giunta quasi sempre irregolari da un anno all'altro e
spesso di carattere violento, sì da dar luogo a importanti
e diffusi fenomeni erosivi. Come è ovvio tali fenomeni
sono particolarmente intensi sui terreni collinari, che
occupano peraltro due terzi abbondanti del territorio
italiano, fino al punto che non è raro che essi giungano a
produrre l'asportazione di milioni di metri cubi di terreno.

Sono dunque quelle della penisola, come si vede, condizioni orografiche e climatiche che non consentono di certo una facile e opportuna irrigazione dei campi: ciò che trova la sua consacrazione nella povertà di fiumi specie nel Centro e nel Mezzogiorno. Per avere un'idea della dimensione storica del problema dell'irrigazione bisogna pensare che nell'Italia del 1870 solamente il 5 per cento degli ettari agrariamente utilizzabili era in misura varia soggetta a irrigazione (e di questi ben l'80 per cento erano concentrati in Piemonte e in Lombardia), ma che ancora alla metà degli anni '70 di questo secolo la superficie irrigua ammontava a non più del 14,4 per cento della superficie agraria totale del paese.

Questo quadro certo tutt'altro che idilliaco contrasta con l'immagine che a lungo fuori d'Italia si è avuto dell'Italia: e cioè come di una terra felice cui quasi senza bisogno di lavoro umano una natura benigna avrebbe regalato frutti e messi a volontà. Si tratta di un'immagine costruita sostanzialmente nell'antichità, la cui persistenza nel tempo, se dimostra qualcosa, dimostra solo l'enorme suggestione che ha esercitato la cultura classica su tutta Europa fino agli albori dell'età contemporanea. E tuttavia quell'immagine allude a un dato reale, vale a dire al fatto che per quanto fossero numerosi e rilevanti gli ostacoli all'agricoltura in Italia, essi erano però minori di quelli in tutti gli altri paesi del Mediterraneo di più antico popolamento e di più antica civiltà con i quali la penisola era in rapporto. Rispetto a questi paesi, insomma, tutti collocati nella fascia semiarida, l'Italia era in una condizione relativamente privilegiata. Non a caso la più antica delle *laudès Italiae* che ci sono giunte, quella di Varrone, descrive la penisola come la terra coltivata per antonomasia, la terra *cultior* carica di ricchezze della natura, e per secoli e secoli risuonerà come un leitmotiv in vari sensi ispiratore l'*Ausonia tellus magna parens frugum*, la terra di Ausonia grande madre di messi.

Ma via via che ci si allontana nel tempo dal mondo classico e dalla sua influenza, e che sull'Italia si posa lo sguardo degli uomini del Nord, degli uomini che vengono dalle grandi pianure, dall'ubertosa Europa dei fiumi, l'immagine cambia. L'Italia non appare più alla stregua del paese fortunato e ricco sopra ogni altro, bensì una contrada tutt'altro che fortunata: e di ciò suona ora conferma quell'affermazione famosa di Guicciardini, pur fatta a suo tempo a vanto, che l'Italia già da generazioni fosse coltivata fin sul dorso dei monti. Ora, fuori dalle chiese e dai palazzi sontuosi, accanto ai miracoli d'arte custoditi nelle città, si apre lo spettacolo della povertà italiana, tanto più forte ed evidente quanto più il resto del continente si avvia allo sviluppo che culminerà nell'industrializzazione.

Il centro di questa povertà è occupato – e lo sarà sempre di più con il passare del tempo – dalle condizioni dell'agricoltura, dai contadini che l'avarizia dei suoli, la durezza dei rapporti di proprietà e il generale malgoverno dei piccoli e grandi signori della penisola, rende assai spesso simili a una plebe spoglia e brutale. E per ironia della sorte, l'epicentro di questo mondo arretrato e degradato diventerà proprio l'*Ausonia tellus* di un tempo, proprio il Mezzogiorno, il luogo dove tra l'altro alla plebe contadina si aggiunge ben visibile nel cuore della sua maggiore città, Napoli, un'imponente, miserabile, plebe urbana. Ciò che invece non accade al Nord e al Centro, dove lo sguardo, soprattutto straniero, ha minore facilità di posarsi sulla cupa miseria valligiana di tante Alpi e Prealpi non beneficate dal gelso, o sulle torme braccantili che popolano la Bassa padana, da Mantova a Rovigo, o tanto meno sull'indigenza dei mille borghi e paesi aggrappati all'Appennino.

Da un'Italia i cui gruppi dirigenti, con la perdita cinquecentesca della propria autonomia politica, tornano massicciamente alla terra e alla rendita dopo i fasti urbani e commerciali dell'epoca precedente, da un'Italia con un'agricoltura in tanta parte di pura sussistenza ed estensiva che mostra tutti i suoi limiti non appena la popolazione accenna solo a crescere, dalle viscere contadine d'Italia nasce e prende forma l'immagine della povertà italiana.

È un'immagine in cui la povertà naturale è insieme causa ed effetto di quella socioculturale e si combina ad essa inestricabilmente. Un'immagine che assimila ma a propria volta modella anche, e rafforza in misura potente, il dato geografico, ad esempio fissando la contrapposizione nord-sud in uno stereotipo della coscienza nazionale con tutto ciò che ne segue: il Mezzogiorno, e dunque il Mediterraneo, come destino negativo della vicenda italiana, dal quale fuggire. In effetti la storia è stata tutt'altro che benigna con le terre del Meridione d'Italia. La loro inferiorità in termini agriculturali è un dato già acquisito al momento della caduta dell'Impero d'Occidente; è al dominio romano, infatti, che risalgono i grandi denudamenti dei crinali appenninici, l'ampiezza assunta dal pascolo estensivo incontrollato e invadente, la tendenza alla monocoltura cerealicola a base latifondistico-servile orientata ai grandi mercati urbani, che tutti insieme formeranno la debolezza di lungo periodo del Sud.

Nell'Italia meridionale e in alcune grandi isole del Nord tocca dunque l'apice la povertà italiana, le cui radici affondano nella scarsità delle produzioni agricole e nella piccola quota di surplus che anche in ragione dei rapporti di proprietà remunera le classi contadine. Essenzialmente è una povertà contadina e di contadini, e tale resterà fino alla metà di questo secolo. Oltre che l'immagine essa segna nel profondo l'identità del paese e l'antropologia dei suoi abitanti. La presenza di un contesto agricolo capace di produrre un surplus ma in larga parte solo con un duro intervento dell'uomo, per esempio sollecita da un lato l'emergere di capacità manipolative, di conoscenze diffuse delle tecniche e dei materiali, di inventiva, che sono all'origine di certa tradizionale eccellenza italiana nelle attività artigianali e nel disegno, dall'altro una, anch'essa tutta italiana, «arte di arrangiarsi», cioè la consapevolezza di dover contare al massimo grado, se non esclusivamente, sulle proprie personali doti di immaginazione e sulle proprie risorse. È per l'appunto nell'antica miseria contadina la scaturigine della celebre «furberia» italiana, sostanza di tante maschere della penisola, altra faccia, popolare e accattivante (per chi se ne fa accattivare...), del «machiavellismo» delle sue classi dirigenti.

La realtà e l'immagine di un'Italia povera e contadina, di un'«umile» Italia, costituiscono una delle raffigurazioni (e autoraffigurazioni) del paese di maggiore fortuna e diffusione. Una raffigurazione dalle mille e contraddittorie implicazioni (tanto spregiative quanto esaltatorie) e dai mille echi: primi fra tutti quello dell'assonanza con il tema cristiano della sofferenza e della povertà, che non a caso proprio nella spiritualità italiana ha trovato la suprema consacrazione carismatica di un santo come Francesco, «poverello di Dio» e patrono d'Italia. Una raffigurazione, infine, la cui fortuna anche nell'età contemporanea si spiega con la possibilità che essa offre, per il suo contenuto intimamente populista, di essere utilizzata politicamente – come per l'appunto è stata utilizzata – tanto da destra come da sinistra: l'Italia «nazione proletaria», chiamata a contendere il passo e il dominio ai ricchi della terra, ovvero l'Italia dei «poveri Cristi» in cerca di una storica rivalsa contro «i signori», e più spesso contro i «Luigini» e i «paglietta», vale a dire i rappresentanti avidi e arroganti della piccola e media borghesia proprietaria.

Come si è detto sopra, oltre la povertà c'è un altro aspetto assai importante dell'identità italiana connesso strettamente alla conformazione fisica della penisola: la bellezza. L'Italia è il «bel paese» per antonomasia; «... il talian giardino chiuso d'intorno dal suo proprio mare» scrive all'inizio dell'era volgare Bindo di Cione del Frate, mentre per una celebre enciclopedia medievale, quella di Pierre d'Ailly, l'Italia è la «terra pulcherrima, soli fertilitate pabilique ubertati gratissima», la terra bellissima, piacevole per la fertilità del suolo e l'ubertosità dei suoi pascoli.

Innumerevoli sono sin dai primordi gli osservatori e i visitatori cui viene spontanea sulle labbra, parlando dell'Italia, la metafora celeberrima del giardino che per l'appunto farà dell'Italia stessa «il giardino d'Europa»: «percorrerò la divina penisola rapidamente... come un uccello su un giardino» – annota lo scrittore nicaraguense Rubén Darío al principio di questo secolo; un giardino, aveva scritto nel Settecento Bruzen de la Martinière facendo propria l'abituale endiadi di bellezza e abbondanza «dove si trova tutto quello che è necessario per la vita e che può renderla deliziosa», mentre un'altra endiadi ovvia, quella tra bellezza e dolcezza del clima, è posta a conclusione delle *Lezioni sulla letteratura italiana* di Longfellow: «È inutile che i viaggiatori ci raccontino di giornate (...) e di settimane piovose, che Dante ci parli di neve e di brine sull'Appennino; la nostra immaginazione non si raffredda, né il nostro entusiasmo si smorza. L'Italia sarà, come è sempre stata, la terra del sole e la terra del canto (...) la terra dei sogni e delle visioni deliziose».

Ma cos'è che rende «bella» l'Italia? Cos'è che agli occhi specialmente degli stranieri – e degli stranieri colti in modo tutto speciale – l'ha resa per secoli lo scenario ideale dove perdere e insieme ritrovare se stessi, dove coltivare le emozioni estetiche più calme e più raffinate e insieme essere travolti dalle passioni più violente? Se la risposta non può fare a meno di citare al primo posto la natura italiana, cos'è allora che rende «bella» questa natura in modo unico o perlomeno peculiarissimo?

Va annoverato innanzi tutto la straordinaria, avvolgente, molteplicità dei paesaggi più diversi, così rapidamente avvicendantisi gli uni agli altri, talora nello spazio di pochi chilometri. Specie nel rapporto acqua terra il contrasto può raggiungere effetti di grande impatto visivo ed estetico. Il viaggiatore che proviene dal Nord d'Europa ha la possibilità di essere colpito da tale contrasto non appena giunge nella penisola, si può dire. Egli non fa a tempo a lasciarsi alle spalle i drammatici paesaggi alpini, e già gli vengono incontro le grandi distese acquee dei laghi che giacciono immediatamente ai piedi delle montagne, con il brusco annuncio del clima temperato della penisola e della sua vegetazione mediterranea. Ma si pensi ancora al paesaggio collinare di tanta Italia centrale, dalle Romagne, alle Marche agli Abruzzi, con i mille borghi disseminati sui poggi ridenti quasi a terrazzo sull'Adriatico delle lunghe spiagge, in una diversità di scenario che la dolcezza non rende meno vivida; o si abbia mente, per finire, a tante isole tirreniche, a tante marine del Mezzogiorno, dal golfo di Napoli a Scilla, dove il monte precipita nel mare in alte scogliere rotte da mille anfratti e insenature d'intensa, drammatica bellezza. Si aggiunga, a rafforzare la straordinaria giustapposizione di terre e mare, la presenza così diffusa lungo le coste di fenomeni vulcanici che inseriscono nella bellezza un che d'inquietante, di minaccioso, che la rendono più viva.

Della pecularità di questo tratto costiero del paesaggio italiano così intriso di contrasto ci ha lasciato una descrizione accurata Vidal de la Blache, il fondatore della moderna geografia umana, viaggiando nel 1918 in Liguria: «la montagna chiude dappresso la costa, la avvolge per così dire. Sui versanti digradanti verso il mare si vede emergere, tra le "piantagioni" e i boschi d'ulivi, il borgo principale, collegato alla spiaggia da sentieri a gradini, quotidianamente solcati dagli asini. Chiusa fra due promontori si profila ad arco di cerchio (...) l'ansa sabbiosa su cui si tirano in secco le barche».

Ma per quanto possa poggiare su un fondo naturale drammatico, la bellezza del paesaggio italiano trova una misura così sua di raddolcimento, che ne afferma e proclama il carattere benigno, nell'antropomorfizzazione dei quadri ambientali: «Non è possibile vedere una campagna meglio tenuta, scrive Goethe davanti alla campagna toscana, nemmeno una zolla di terra che non sia pulita e come passata attraverso lo staccio». E proprio a ciò il paesaggio della Toscana deve il suo eccezionale prestigio: all'apparire l'esempio perfetto di una natura benigna all'uomo e alle sue opere, di una natura che sollecita ed integra la civilizzazione, non la contrasta; sicché il rapporto tra città e campagna vi appare quasi sempre composto in una prospettiva di sostanziale armonia e di reciproco arricchimento anche estetico. Allo sguardo di Shelley Firenze si presenta per l'appunto come incastonata in uno scenario radioso che la illumina e ne è a propria volta illuminata: «È circondata da colline coltivate, e dal ponte che attraversa l'ampio canale dell'Arno la vista è la più vivace ed elegante che io abbia mai visto. Si vedono tre o quattro ponti, uno dei quali appare sorretto da pilastri corinzi, e le bianche vele delle barche che spiccano sulla verde profondità della foresta, che sporge fino all'orlo delle acque, e i declivi delle colline coperti da ogni parte da ville splendenti. Cupole e campanili sorgono da ogni dove e tutto è lindo in modo sorprendente. Dall'altro lato la valle dell'Arno si curva più volte con colline di ulivi e viti in primo piano, poi con castagneti e ancora s'intravedono le foreste di pini azzurrognoli e fumosi ai piedi dell'Appennino».

Segno pervadente dell'antropomorfizzazione dei quadri ambientali, propria del paesaggio italiano, è la presenza dell'«antico» nella forma tipica delle «rovine». La bellezza del paesaggio italiano è molto spesso, anche fuori delle cinte urbane, la bellezza di un «paesaggio con rovine». L'incontro tra natura e storia dà alla prima una qualità del tutto speciale conferendole un'aura «colta» che mentre ne accresce le valenze estetiche ne dilata altresì gli echi psicologici.

## Notazioni bibliografiche

Le coordinate geografiche della penisola sono tratte da *Atlante Enciclopedico*, Milano, Touring Club Italiano, 1986, vol. I.

Sulla varietà dei quadri ambientali italiani mi sono fatto guidare dalle belle pagine di L. Gambi, in *I valori storici dei quadri ambientali*, in *Storia d'Italia Einaudi*, vol. I, *I caratteri originali*, Torino, Einaudi, 1972, e dall'ultimissima collana *Capire l'Italia*, edita dal Touring Club Italiano, in specie dai volumi collettanei *I paesaggi umani*, 1977 e *Le città*, 1978.

Ricordo inoltre l'importante volume di G. Galasso, *L'Italia come problema storiografico*, Torino, UTET, 1981, che ho letto tra i primi per la preparazione di questo libro e ho poi cercato di dimenticare per non esserne troppo condizionato.

Sul clima italiano, G. Hausmann, *Il suolo d'Italia nella storia*, in *Storia d'Italia*, cit., pp. 64-65, nelle cui pagine si trovano anche considerazioni decisive per il divario delle condizioni agricole tra Nord e Sud (*ivi*, pp. 73-78, 82-85, 122-124). Per la nascita, invece, del divario economico in genere tra le due parti del paese, cfr. il classico D. Abulafià, *Le due Italie*, Napoli, Guida, 1991.

Considerazioni interessanti sull'Italia fisica ho trovato anche in, C. Correnti e P. Maestri, *Annuario Statistico Italiano*, a. II, Torino, 1864.

Sul concetto di *koinè* culturale greco-tirrenica, cfr. M. Pallottino, *Storia della prima Italia*, Milano, Rusconi, 1994, p. 96, fonte di molte altre notizie sulle prime testimonianze storiche nella penisola, così come G.G. Bugi e G. Devoto, *Preistoria e storia delle regioni d'Italia*, Firenze, Sansoni, 1974.

Le informazioni sulle differenze di orario tra lo zenith di Otranto e quello di Ventimiglia in *Guida Rapida d'Italia*, Milano, Touring Club Italiano, 1997, vol. 5, p. 35.

Le informazioni sulla carta di G. Gastaldi, in *Storia d'Italia Einaudi*, vol. V, t. I, Torino, Einaudi, 1973, pp. 58-59, che è anche la parte della traduzione cinquecentesca del *De Vulgari Eloquentia*.

La citazione di Livio sulle Alpi come confini d'Italia, in L. Cracco Ruggini e G. Cracco, *L'eredità di Roma*, in *Storia d'Italia Einaudi*, cit., vol. V, t. I, p. 28, nota, utilissimo per l'abbondanza delle informazioni e la lucidità delle sue considerazioni.

Sulle percezioni dell'Italia da parte della cultura romana, cfr. A. Giardina, *Le due Italie nella forma tarda dell'Impero*, in *Italia Romana. Storie di un'«identità» incompiuta*, Roma-Bari, Laterza, 1997 a cui molto devono gran parte di queste pagine.

La citazione di Ferrero in G. Ferrero, *Avventura. Bonaparte in Italia (1796-1797)*, Milano, Corbaccio, 1996, pp. 88-89. Le notizie sul numero dei feudi genovesi nel Mezzogiorno in E. Sereni, *Agricoltura e mondo rurale*, in *Storia d'Italia Einaudi*, vol. I, cit., p. 206.

Sul significato e le conseguenze della «mediterraneità» italiana specie per la politica estera dello Stato nazionale è interessante L. Incisa di Camerana, *L'Italia come avamposto occidentale*, in «Limes», n. 2, aprile-giugno, 1994.

La citazione del viaggiatore straniero sulle condizioni malariche delle coste italiane in A. Mozzillo, *Viaggiatori stranieri nel Sud*, Milano, Comunità, 1982, pp. 85-86.

Le notizie sulle superfici agrarie irrigue e non nel 1870 e nel 1970 in Hausmann, *Il suolo d'Italia nella storia*, cit., pp. 102 e 122.

Notizie sulla *laus Italiae* di Varrone in A. Giardina, *L'identità incompiuta dell'Italia romana*, in *Italia romana*, cit., p. 39.

Le citazioni di Longfellow come quelle finali di Goethe e di Shelley in L. Mascilli Migliorini, *L'Italia dell'Italia. Coscienza e mito della Toscana da Montesquieu a Berenson*, Firenze, Ponte alle Grazie, 1995, pp. 25-26, 45, 74, che mi è stato assai utile.

Le parole di Vidal de la Blache in M. Quaini, *L'arco ligure*, in *Capire l'Italia, I paesaggi umani*, cit.

Capitolo secondo

# Quel che resta del tempo: l'eredità latina e il retaggio cattolico

Nulla ha segnato così profondamente e definitivamente l'identità italiana – tanto la fisionomia fisica del paese e il suo volto esteriore, quanto la sua anima e la sua cultura – come la concomitante presenza nella penisola di Roma e della sua eredità, da un lato, e della sede della Chiesa cattolica dall'altro. Un singolare destino storico ha voluto che l'Italia sia stata dapprima l'epicentro della più importante civiltà del mondo antico euro-mediterraneo – quella cui riuscì di compendiare e di portare alla massima espressione il retaggio della classicità – e poi, insieme, l'epicentro anche del cristianesimo, vale a dire della maggiore forza plasmatrice degli assetti spirituali e pratici su cui poggia l'Occidente moderno. Si tratta, come si sa, di una concomitanza per nulla casuale: risale infatti ad una consapevole scelta del gruppo di apostolato più spregiudicato e dinamico del cristianesimo delle origini – ed in particolare a Paolo, cittadino romano – la decisione di trasferire la nascente confessione dall'ambiente ebraico in cui aveva visto la luce al cuore del massimo organismo politico-statale del tempo: di quell'impero la cui ambizione di universalità sarebbe poi stata fatta propria, non a caso, dalla Chiesa divenuta romana.

Il sovrapporsi di civiltà romana e di cristianesimo cattolico sul suolo della penisola hanno rappresentato per l'Italia un deposito storico di tale spessore e prestigio da riverberarsi sulle sue vicende in modo e misura assolutamente unici e decisivi. L'Italia ha acquistato per sempre, grazie a tale sovrapporsi, un posto centrale nella civiltà dell'Europa e dell'intero mondo che da essa è stato e continua ad essere influenzato. Come custode e compartecipe a vario titolo del duplice retaggio romano-cristiano, da 15 secoli l'Italia entra dunque in mille maniere, e per mille tramiti diversi, nel farsi dell'autocoscienza della nostra civiltà e nel continuo travaglio delle sue opere. Presidiando il passato classico e la culla della cristianità occidentale, non solo è come se l'Italia presidiasse in qualche modo l'identità di ogni europeo, ma a tale identità essa ha dato un contributo essenziale e diretto essendo stata la prima, ed essendo rimasta per un millennio e più tra i primissimi, ad elaborare, aggiornare e adattare quel passato. Sicché nulla o quasi di quanto nella penisola si è pensato o fatto, di quanto qui si è scritto, si è dipinto o si è costruito, ha potuto essere considerato indifferente fuori dei suoi confini.

Sono innumerevoli le conseguenze concrete cui ha dato luogo sulla scena storica – e dunque sull'identità – italiana la presenza incessantemente operante dell'eredità latina e cristiana. Sul piano pratico basti pensare, ad esempio, per anticipare due aspetti sui quali ci diffonderemo più avanti, allo straordinario policentrismo urbano, lascito diretto dell'epoca romana, o alla gestione di un patrimonio artistico di enorme ampiezza.

Ma è soprattutto sul piano delle identità e delle influenze per così dire ideali che quella duplice eredità si è fatta sentire. È ad esempio alla sua incidenza, al suo immenso prestigio, all'autorevolezza sociale e alle possibilità di ascesa sociale che conferiva la capacità di maneggiarne i contenuti specifici, che si deve il ruolo centrale sulla scena storica italiana del ceto dei colti, vuoi nella versione laica dell'umanista, poi mutatasi nella figura del moderno intellettuale, vuoi in quella del chierico e dell'uomo di Chiesa. L'integrazione così stretta tra potere e cultura che si registra storicamente in Italia discende direttamente dalla forza del retaggio latino-cristiano e dall'elemento intellettuale, fortemente intellettuale, che in esso caratterizza la definizione e l'esercizio vuoi del potere che delle sue attribuzioni. Tanto il potere romano che quello della Chiesa si giustificano di continuo – e si esplicano – attraverso una complessa attività intellettuale di tipo specialistico qual è soprattutto la legislazione, la giurisdizione, e la giurisprudenza o i loro omologhi ecclesiastici. Essi fondano una tradizione che passa osmoticamente nel codice genetico italiano, schiudendo un ampio potenziale di sviluppo per quelli che ai giorni nostri si chiameranno intellettuali.

D'altra parte, sarà non a caso proprio il ceto dei colti, saranno proprio gli intellettuali, a sentire con più acutezza l'effetto ambiguo che era per così dire oggettivamente contenuto nell'alto retaggio culturale di cui stiamo dicendo. Questo, per effetto stesso della sua straordinaria ricchezza, nonché del ruolo centrale cui destinava l'Italia nell'ambito della civiltà europea e mondiale, si presentava con un che di smisurato, costituiva una premessa alla vicenda storica italiana di un ordine assolutamente sproporzionato, rispetto alle dimensioni e alle risorse effettive di cui la penisola sarebbe mai stata in grado di disporre. La realtà impediva che l'Italia potesse mai sperare di essere davvero all'altezza del passato che incombeva alle sue spalle. Nessun potere civile storicamente pensabile avrebbe mai potuto emulare quello di Roma imperiale o del suo Pontefice cristiano; al tempo stesso, tuttavia, l'eredità che la storia stessa le aveva affidato la costringeva in qualche modo a misurarsi con quel passato, a mostrarsene e ad esserne «degna».

Come dicevo sopra, il ceto italiano dei colti e le sue produzioni hanno rappresentato il luogo elettivo dove questa contraddizione ha massimamente agito. Non solo, però: dal momento che tale contraddizione, in virtù della strettissima integrazione tra tale ceto e il potere, dagli intellettuali e dalla cultura è trasmigrata immediatamente nell'ambito della politica. È accaduto così che per secoli

33

e secoli – e fino al punto di ricavarne una sorta di vera e propria identità originaria – la cultura italiana e le traduzioni politiche cui essa di volta in volta ha messo capo o ha ispirato, si siano dibattute nel compito impossibile di pensare un'Italia «in grande» che fosse degna erede del suo passato. È da questa tensione irresolubile che è nata la ricerca, così centrale nella riflessione colta dell'identità italiana su se stessa, di quale potesse e dovesse essere il superiore destino al cui richiamo il paese fosse chiamato a rispondere, la ricerca di una specifica «missione» dell'Italia, ricerca nella quale aneliti universali e specificità storica della penisola si sono sempre confusi e insieme rafforzati reciprocamente. Dal «Veltro» dantesco alla crociata contro i «barbari» di Petrarca, fino alla vagheggiata «Terza Roma» di tanto Risorgimento democratico, alle dannunziane prore in partenza «verso il mondo», o ai progetti così vicino a noi di «ponti» verso l'Africa o di «laboratori politici» ispirati al progresso, ricorre continuamente la tentazione di dare veste e traguardi universali alle contese o speranze delle idee di casa, di travestirle culturalmente «in grande».

È comunque al di là certamente delle mitologie colte e dei loro vari esiti che si colloca l'ispirazione principale proveniente dal passato romano, rappresentata dalla coscienza dell'unità non meramente geografica della penisola. Si è detto talvolta, e si torna oggi a dire che anche tale coscienza è in fin dei conti un mito di intellettuali. C'è del vero, naturalmente, ma come è più o meno vero di ogni coscienza di carattere generale, vale a dire di ogni consapevolezza diffusa che si fondi su materiali non immediatamente alla portata dell'esperienza di vita quotidiana dei più. Dunque ciò è vero per la consapevolezza di una comune identità italiana, ma così come è vero per quel che riguarda la coscienza di una comune identità cattolica, di classe, o di che altro sia. Ognuna di tali consapevolezze e coscienze può ben dirsi che corrisponda a un'«invenzione» di tipo intellettuale: ma anche in questo campo – va aggiunto subito dopo – non tutte le invenzioni riescono, e non basta certo qualche decina di poeti e scrittori, ad esempio, per assicurare che nasca la coscienza di un'unità nazionale, per «inventarsene» una. Durano e possono sperare di aver fortuna solo quelle «invenzioni» alla base della cui elaborazione intellettuale vi siano dati di fatto, elementi di realtà. Sicché, come la coscienza di classe ha avuto alla propria base la condizione operaia nell'epoca dell'industrialismo, o la coscienza cattolica l'esistenza di una Chiesa mondiale e della sua fede, allo stesso modo la coscienza dell'unità non meramente geografica della penisola è stata, sì, elaborata in special modo dalla tradizione intellettuale della nostra letteratura, ma essa poggia innanzi tutto sul dato di fatto dello straordinario lascito culturale e pratico di Roma.

Un lascito culturale romano, qualcosa che proviene direttamente dalla sua tradizione, è per l'appunto la coscienza che la penisola costituisca qualcosa di unitario. In ambito romano tale coscienza – o forse bisognerebbe dir meglio «percezione» – è un dato relativamente tardo e attinente più al fatto geografico e poi politico che a quello etnico e storico. Furono semmai gli avversari di Roma nella penisola che nella loro lotta con l'Urbe, all'inizio del I secolo a.C., adottarono per primi il termine Italia in senso diciamo così politico. La lega delle popolazioni di lingua osca levatesi contro Roma si proclama infatti italica e ribattezza con il nome di *Italia* la capitale degli insorti Corfinium, mentre conia una moneta con l'immagine del toro italico che schiaccia la lupa romana (e la scritta Vìteliù = Italia richiama l'antica etimologia Italì da Vituli «vitelli»). Agli occhi dei romani invece, come si è detto, la penisola continuò ad apparire a lungo geograficamente unitaria ma sdoppiata dal punto di vista etnico: un'Italia centro-meridionale osco-sabellica (dunque con esclusione della Magna Grecia e delle Isole), dal carattere aspro e pugnace, e un'Italia etrusco-padana gentile e virgilianamente «pia». Su questa divisione era la romanità che apponeva il suo tratto unitario, era la romanità che faceva dell'Italia, secondo la definizione di Plinio il Vecchio destinata peraltro a non grande fortuna, *una cunctarum gentium patria*, «una unica patria di tutti i popoli».

La non grande fortuna di cui ho appena detto è testimoniata dalla stessa denominazione adottata in età augustea per le undici «regioni» in cui il potere romano divise la penisola. È una denominazione che reca evidente con sé la consapevolezza di una realtà etnica e storica quanto mai variegata. Basti dire che di queste undici «regioni» (I, Latium et Campania; II, Apulia, Calabria, Salentini et Hirpini; III, Lucania et Bruttii; IV, Sabini et Samnium; V, Picenum; VI, Umbria; VII, Etruria; VIII, Aemilia (o Gallia Cispadana); IX, Liguria; X, Venetia et Histria; XI, Gallia Transpadana), nove avevano nomi che si richiamavano alle preesistenti entità etno-storiche e solo due – Aemilia e Transpadania – zone d'insediamento celtico estranee all'antico popolamento italico – avevano nomi geografici.

Ma detto tutto questo non resta men vero che il dominio romano si espresse nella penisola in forme specifiche, diverse da quelle di ogni altro luogo. Fu questa specificità che valse ad imprimere sull'Italia un tratto oggettivo di esperienza unitaria, a costituire un contesto comune. In Italia, a differenza che in tutte le altre parti del suo dominio, Roma non istituì «province» di sorta (solo con Diocleziano, alla fine del III secolo d.C. le cose cambieranno) preferendo invece dare fin dall'inizio alla sua conquista il nome di *foedus* (patto) o *societas* (alleanza). Il dominio romano venne a fondarsi, pertanto, su un rapporto individuale del tipo ora detto tra l'Urbe e i singoli *municipia*, i singoli centri urbani cui la legislazione di Roma concedeva non solo la libera amministrazione dei propri beni ed almeno un primo grado di giurisdizione civile e penale ma anche – fino alla *lex Iulia* – la possibilità di avere leggi proprie, salvo un controllo al centro in materia fiscale e di nuove opere, al fine soprattutto di evitare sia il dissesto delle finanze locali sia un eccessivo carico di tasse sulle popolazioni rurali.

Anche per questo tramite mise radici l'urbanizzazione della penisola, connotato unificante dell'Italia destinato a restare tale fino ai giorni nostri. L'immagine dell'Italia femminile e turrita (a mura di città), di un'Italia *urbana*, che comincia a figurare sulle monete a partire da Traiano, ma che forse risale addirittura all'età augustea, sarà ripresa con forza dalla civiltà cittadina del Tre-Quattrocento e anche allo sguardo straniero rappresenterà sempre uno degli aspetti più tipici e vorrei dire consustanziali della penisola, tanto sul piano dei quadri ambientali che su quello della cultura. Fin dall'età romana l'Italia è, e resta nel corso dei secoli fino ai giorni nostri, «un paese di città»; sicché non a caso proprio nell'elemento urbano due fra i più acuti osservatori della sua storia e indagatori della sua identità – il modenese Ludovico Antonio Muratori e il lombardo Carlo Cattaneo – scorgeranno il filo rosso della sua vicenda, dando vita a una fortunata tradizione interpretativa che dura tuttora.

Naturalmente, quello urbano è un connotato unitario e unificante, ma – come accade sempre nel nostro paese – anche divisivo. L'Italia delle «cento città», che risale a Roma e soprattutto alle massicce opere di urbanizzazione del I secolo a.C., è sì un insieme ma un insieme che rimanda anche, contemporaneamente, l'immagine di una forte segmentizzazione e distinzione delle varie parti. Fin nel suo stemma – dove così spesso è presente la lupa romana – e nell'acronimo che ripete il Senatus Populusque dell'Urbe adattandolo al nome del luogo, ogni città italiana si presenta come una duplicazione della città per antonomasia e, a partire all'incirca dal II secolo prima di Cristo, l'urbanizzazione della penisola è la stessa cosa della sua romanizzazione; lo specifico legame, fattuale e simbolico, che ogni *municipium* intrattiene con il centro del potere è la forma specifica del legame tra Roma e l'Italia.

C'è un dato impressionante che testimonia di questa vocazione urbana che Roma, traendola a propria volta dal passato italico, riprende ed amplifica: su un campione di 8 mila insediamenti circa, presenti nell'Italia odierna, si è potuto constatare che 713 erano già esistenti in età preromana e ben 1.971 risalgono a quella romana: vale a dire che in complesso più o meno il 30 per cento dei centri considerati risalgono a un periodo di tempo precedente l'età medievale e moderna. Ma anche quando gli insediamenti risalgono a un passato più antico di quello romano, si può essere quasi sempre sicuri che è la struttura viaria sovrimpressa all'insediamento precedente in epoca romana, con il cardo e il decumano, con il foro e le terme, è quella struttura ad essere ancora oggi visibile e leggibile in cento e cento luoghi abitati d'Italia.

Insieme alle colonne e agli archi essi rappresentano la testimonianza fisica, quasi la prova fisica, è stato scritto, che attesta «la continuità della civiltà nella quale gli italiani non hanno mai cessato di riconoscersi». Ancora di più questa continuità appare vera se si pensa come, attraverso la centuriazione, l'influenza romana, oltre che sul tessuto urbano abbia marcato in modo indelebile anche una parte significativa del paesaggio agrario della penisola. Quelle distese regolari di campi divise ancora oggi in grandi appezzamenti quadrati, definiti dagli incroci stradali di assi nord-sud ed est-ovest, che caratterizzano specialmente la parte orientale della pianura padana, non sono altro che il segno lasciato dalla riorganizzazione agronomica dei terreni agricoli, adottata dallo Stato romano allo scopo di assegnare la terra ai veterani meritevoli destinati ad insediarsi nelle zone di nuova conquista.

Non foss'altro che per l'influsso di cui si è detto fin

qui, esercitato sull'aspetto più visibile della penisola, sul suo volto urbano e rurale, il retaggio romano appare determinante riguardo all'identità italiana.

Ma esso va ancora oltre, molto oltre. Tocca per esempio l'ambito cruciale della più intima espressività rappresentato dalla lingua. L'italiano non è certo l'unica lingua romanza, ma sicuramente è quella che intrattiene con il latino un rapporto culturalmente più intenso in ragione del rapporto forte tra la cultura italiana e il retaggio classico. La stragrande maggioranza delle parole italiane è di origine latina e, fatto significativo, la percentuale di tali parole non diminuisce ma cresce passando dal lessico cosiddetto generale a quello comune (per l'esattezza dal 66,8 per cento al 70). In Italia – anche, come è ovvio, per la più stretta vicinanza della Sede apostolica e per la grande capillarità dell'organizzazione ecclesiastica – il latino rimane più a lungo nell'uso tanto delle cancellerie politiche che dei tribunali, e in particolare dell'istruzione superiore. Questa fu dovunque impartita in latino fino al '700: solo con le riforme di quel secolo, infatti, il toscano venne accolto nelle scuole superiori e nelle università, iniziandosi una promozione della lingua italiana destinata peraltro a progressi molto lenti di fronte al rilievo ancora a lungo tenuto dalla lingua di Roma.

Tra i fattori certo più importanti nel determinare la persistenza del latino nell'istruzione superiore fu il posto che in essa era occupato dall'insegnamento giuridico, e cioè dal diritto romano. Va ricordato anzi che è al diritto romano che si deve la nascita in Italia, per la prima volta nel mondo conosciuto, di un'università, cioè di quella che è rimasta fino ad oggi la principale istituzione dell'alta cultura. Verso il 1100 fece la sua comparsa a Bologna un maestro, di nome Irnerio, il quale, in possesso di una copia del *Digesto* di Giustiniano probabilmente portata nella penisola da studiosi bizantini (un altro esempio dell'importanza per la vicenda italiana della vicinanza con l'Oriente), si diede a studiarlo e commentarlo riunendo intorno a sé un circolo di colleghi e allievi. Il *Digesto*, insieme alle *Istituzioni*, sempre di Giustiniano (un breve libro di testi per studenti, che almeno in Italia non era andato mai smarrito), al *Codice* e alle *Novelle* (raccolta di costituzioni imperiali) costituì quello che si cominciò a chiamare il *Corpus iuris civilis*. Attorno al 1200, l'università di Bologna – destinata a rimanere per due secoli una libera corporazione di studenti, paganti i propri professori – era ormai divenuta il modello per tutte le analoghe istituzioni che venivano sorgendo in Europa, e la *Littera Bononiensis* dei suoi glossatori (cioè la versione e l'interpretazione del *Corpus* insegnate nella capitale emiliana) si avviava a costituire il cuore dell'egemonia italiana nel campo degli studi giuridici, sì da far parlare generalmente, nell'Europa del tempo, di *mos Italicus iuris docendi*, di metodo italiano di insegnare il diritto. La «scoperta» del diritto romano compiuta a Bologna ebbe infine la sua consacrazione nel forte orientamento in senso romanistico che subì anche il diritto canonico per effetto, appunto, della scuola della città e del monaco Graziano, attivo verso la metà del XII secolo, e autore di un *Decreto* che porta il suo nome.

In Italia, per la verità, un «diritto romano volgare», un diritto romano semplificato divenuto consuetudine inveterata delle popolazioni, non aveva mai cessato di avere vigore, sebbene modificato ed intrecciato al sistema giuridico di origine germanica dei nuovi regni barbarici, quello longobardo in particolare. Ma la scoperta e la ricezione assai rapida da parte di tutti indistintamente i poteri pubblici della penisola dei principi del *Corpus iuris*, che avviene dal 1100 in avanti, rappresentò comunque un fatto di enorme importanza per l'ampiezza e la profondità delle sue conseguenze.

Non solo e non tanto la definizione dei diritti e degli obblighi dei singoli (specialmente nel campo delle obbligazioni e della proprietà), o il profilo dei rapporti interpersonali più elementari e perciò significativi (ampia fu ad esempio nel diritto matrimoniale della Chiesa la ricezione dei principi della romanistica), non solo il carattere degli istituti della vita associata e delle sue sedi istituzionali, non solo tutto ciò venne ad essere plasmato dal trapianto operato in Italia della tradizione giuridica classica, ma qualcosa di assai più importante ancora. Ad essere particolarmente e profondamente influenzato fu da un lato il modo d'essere dell'autorità, e perciò la sua immagine, il suo rapporto nei confronti dell'individuo, dall'altro il modo di stare di questo davanti alla legge, e dunque il sentimento della cosa pubblica.

In linea generale e parlando un po' sommariamente si può dire che il diritto romano «colto», divulgato dai glossatori e dai commentatori dell'università, si prestò assai bene a fungere da prestigiosa indicazione teorica, e insieme da strumento raffinato per la strutturazione in senso burocratico ed accentratore del potere pubblico, nonché per spingere tale potere ad una razionalizzazione dall'alto. Mediante la virtuale assimilazione di se stessa al *Caesar* o al *princeps* del *Corpus iuris*, qualsivoglia autorità – dal re all'imperatore, al Pontefice – fu in grado di trovare nel *Corpus* medesimo ogni genere di argomento per rafforzare, contro la frammentazione feudale la propria posizione; a cominciare per l'appunto dalla Chiesa, la prima a dare un decisivo appoggio al nuovo diritto. È dalla riscoperta del diritto romano che ha inizio in Occidente l'uso politico-amministrativo della legge da parte dello Stato quale strumento per la definizione e risoluzione del conflitto, e comincia pertanto il rapporto d'integrazione tra giustizia e potere politico.

In Italia – terra del Papa e dell'Impero (si ricordi che a partire dalla fine del XV secolo il diritto romano aveva trovato in Germania una specie di sua seconda patria) – la concezione del potere e ogni ambito connesso al suo

41

esercizio furono profondamente segnati dai fenomeni ora detti. Utilizzando un diritto «dotto», per sua natura inaccessibile ai più, il potere italiano si costituì come qualcosa di naturalmente lontano dal popolo, così come il linguaggio del suo comando era lontano e diverso dalla lingua quotidiana. La legge si staccò dalla vita. Divenne un fatto di specialisti, tanto intellettualmente raffinato e coerente, magari, quanto improntato ad un elevato coefficiente di astrattezza. L'impiego di qualcosa di così rozzo e democratico come la giuria anglosassone sarebbe stato impensabile in un contesto siffatto, così come impensabile sarebbe stata la pretesa di una parità tra la parte pubblica e quella privata.

Dominata dal «latinorum», nonché da una forma di venerazione quasi superstiziosa per la scritturalità in generale – da quella delle leggi a quella della procedura, a quella delle prove documentarie («quod non est in actis non est in mundo», ciò che non è nei documenti non è nel mondo, non esiste, recitava la terroristica prescrizione dei glossatori) – qualsiasi frequentazione della legge, in un'epoca di analfabetismo di massa, non poteva che avvenire per interposta persona. Laddove in Inghilterra è solo dalla seconda metà dell'800 che le università cominciano a rilasciare lauree in legge, viceversa la procedura romano-canonica non può funzionare senza avvocati, e presuppone l'impiego di notai: gli uni e gli altri quanto più possibile formati «scientificamente», sì da essere versati nell'arte di aggirare o volgere a proprio vantaggio le prescrizioni dei codici.

Come ho detto, l'identità italiana ne resta segnata per sempre. Soprattutto, è ovvio, l'identità popolare: è difficile credere che una legge del tipo di quella ora descritta sia fatta nell'interesse dei molti; è difficile credere che il suo comando obblighi realmente, possa contenere realmente un significato etico invece di una gratuita imposizione; è difficile pensare di far parte del medesimo universo, della medesima dimensione culturale, della medesima società, di chi l'ha emanato.

Nell'Italia popolare, nel suo immaginario simbolico, la legge rimarrà sempre cosa da Azzeccagarbugli, linguaggio criptico, e perciò bugiardo, di un potere rivolto solo a ingannare e spogliare i deboli. Ogni moderna cultura democratica troverà sulla propria strada il macigno di questa immagine tenace, il cui esito obbligato sarà, insieme all'illegalismo – o forse meglio, alla alegalità di massa, una diffusa concezione anarchicheggiante, consistente nell'idea che il potere rappresenti inevitabilmente qualcosa di cattivo che per principio va contrastato, e da cui comunque è meglio stare alla larga.

Se sugli strati inferiori della società così agisce il lascito di una pratica della legge che si presenta come astratta e lontana dall'esperienza quotidiana, non meno negativo è l'effetto sugli strati superiori, sulle classi dirigenti. Qui la tentazione a travestire di legge il proprio arbitrio si mischia e fa tutt'uno con l'arroganza classista di chi sa di essere padrone di uno strumento di dominio sociale che egli solo detiene. Prima dunque che dei massimi vertici politici, la tentazione e l'arroganza di cui stiamo parlando sono la tentazione dell'arbitrio e l'arroganza che, per secoli, proprietari esosi, avvocati e notai, piccolo-borghesi laureati in legge seduti dietro una scrivania o uno sportello, eserciteranno ai danni del povero cristo italiano che si trova a passargli tra le mani. Sono la tentazione e l'arroganza di apparati politico-burocratici che si abituano a credersi anch'essi, come l'antico *princeps* «legibus solutus», sciolti da ogni legge, e che in tale pretesa autonomia sono pronti a rinverdire ad ogni momento l'antica vocazione oligarchica del potere italiano.

Se l'eredità di Roma ha fatto sentire il suo influsso profondo in tutti gli ambiti richiamati fin qui, non c'è dubbio, però, che quell'eredità ha trovato soprattutto nella religione cristiana e nella Chiesa – che viene detta appunto «di Roma» e che fino a ieri ne ha adoperato come sua la lingua – i massimi strumenti di sopravvivenza sia pratica che simbolica. Il rapporto, naturalmente, è stato in una doppia direzione. Il retaggio romano – e per suo tramite classico – ha grandemente contribuito a dare profondità culturale, capacità organizzativa e prestigio istituzionale alla religione del Cristo; a propria volta questa e la sua Chiesa hanno non solo, come si è detto, assicurato per mille tramiti la sopravvivenza dell'eredità di Roma, ma hanno conferito all'esperienza storica romana, in quanto tale, un significato per così dire paradigmatico di carattere universale che poteva essere giustificato soltanto dalla iscrizione di quell'esperienza entro un disegno della Provvidenza, quasi sua necessaria premessa.

Entrata sulla scena della grande storia con questo viatico, la fede cristiana nella sua confessione cattolica ha rappresentato, per un lungo numero di secoli, l'unico tratto effettivamente comune all'intera umanità italiana e quindi, si può ben dire, l'unico aspetto unificante della penisola, l'unico elemento davvero «italiano». Ciò non vuol dire, naturalmente, che altre fedi ed altre esperienze religiose non abbiano avuto anch'esse una forte intrinsichezza con l'Italia, una loro specifica «italianità». Basti pensare a quella ebraica, presente a Roma fin dall'epoca augustea, e poi diffusasi in molti centri urbani con una sua profonda originalità legata al luogo d'insediamento (per cui giustamente si parla di un ebraismo di Venezia diverso da quello di Ferrara, di Livorno e di Ancona), o si pensi invece ai gruppi protestanti, e primi fra tutti ai Valdesi, da più di 700 anni capaci di mantenere la propria identità in alcune valli del Piemonte, e si ponga mente, infine, al contributo significativo dato dagli uni e dagli altri – dagli Ebrei come dai protestanti – al risorgimento politico della nazione.

Ma, pur considerando tutto questo, è difficile negare

che nella definizione dell'identità italiana il cattolicesimo abbia svolto un ruolo assolutamente incomparabile con quello di qualsiasi altra religione e in genere di qualsiasi altro movimento spirituale e culturale. Esso ha avuto modo d'influire tanto sull'atteggiarsi dei costumi popolari, sulla più minuta quotidianità delle vaste masse, che sui modelli di pensiero ed i comportamenti dei gruppi dirigenti. In un ambito come nell'altro, il cattolicesimo ha determinato tratti decisivi della visione del mondo, del sentimento della vita, della sensibilità morale, del gusto.

Come è ben noto, nell'esperienza italiana la centralità del cattolicesimo ha fatto tutt'uno con la centralità della Chiesa, la quale, per ragioni storiche del tutto particolari, si è trovata ad assumere, nella penisola, il duplice ruolo (nonché il duplice potere), di grande organismo spirituale e di ente politico-territoriale. Sta qui l'origine del rapporto sempre complesso, problematico e non di rado conflittuale, che l'Italia, e soprattutto le sue classi colte e politiche, hanno intrattenuto storicamente con la Chiesa: ma – mi sembra giusto sottolineare – con la Chiesa e con il clero, perché mai, tranne casi isolati o aspetti e periodi tutto sommato marginali, quelle classi hanno dato vita a tendenze realmente antireligiose e anticristiane. Anche i tentativi più determinati di contrastare il carattere dogmatico del cattolicesimo – da parte per esempio di certe tendenze liberal-massoniche nel XIX secolo, o in questo dopoguerra da parte del Partito comunista – hanno trovato un limite invalicabile nella antica dimestichezza con le figure e i valori della *pietas* cristiana, nel riconoscimento del significato che tali figure e valori possiedono per tutto ciò che ha nome e sapore d'italiano, nella consapevolezza, infine, del legame che li unisce all'immagine che gli uomini e le donne nati nella penisola sono venuti costruendosi, nel corso del tempo, della propria e dell'altrui umanità.

Il nesso particolarmente stretto tra la Chiesa e l'Italia ha un suo snodo cruciale nel fatto che per ben 700 anni circa – per il lungo arco di tempo che va dalla metà del V secolo alla fine del XII, cioè dalla caduta dell'impero d'Occidente all'emergere pieno nel Nord del potere comunale – l'organizzazione cattolica incarna il solo potere pubblico di origine e struttura indigena esistente nella penisola. È lo spaventoso vuoto di potere interno italiano – che di fatto già tocca livelli di non ritorno con la presa di Roma da parte dei Visigoti di Alarico nel 410 – l'elemento che destina la Chiesa ad avere un enorme peso nelle vicende politiche della penisola, che la spinge quasi per fatale necessità ad assumere essa stessa una profonda valenza politico-temporalistica e una struttura congrua. È destreggiandosi tra l'arianesimo goto e il cesaropapismo bizantino, tra il duro e geloso potere dei longobardi e le scorrerie saracene, è per mantenere il controllo su uno spazio religioso frantumatosi territorialmente e conteso tra tutti questi poteri, che la Chiesa trova il modo e la capacità di gettare un ponte tra l'antica integrazione con l'*establishment* romano-imperiale, iniziatosi a suo tempo con l'editto di Costantino, e una ecclesiologia fortemente petrina che privilegiando, sia pure in modo nuovo, Roma e il suo popolo, vale a costruire un profilo sempre più in rilievo e sempre più autonomo del papato.

Comincia a formarsi in tal modo, in questa aspra temperie, e perlomeno in linea di principio, l'unità italiana della Chiesa dietro il vescovo di Roma. Ma il prezzo di questa unità religiosa della penisola è un'ipoteca gravissima su qualsivoglia sua eventuale unità politica. Ne è una chiara indicazione l'arrivo liberatore dei Franchi, nel 774, e la concomitante nascita nell'Italia centrale di uno Stato della Chiesa. Questo garantisce e consacra la raggiunta libertà del papato, per conquistare la quale contro la «dura oppressione» del re longobardo, è stato però necessario invocare l'intervento di un potere d'oltralpe: stabilendo un precedente che, come si sa, avrà infinite repliche.

È sempre in questo periodo, tra il VI e l'XI secolo, mentre cioè riesce a stabilirsi come potere tra i poteri (inevitabilmente a base territoriale), che la Chiesa riesce altresì a penetrare davvero nelle profondità della società italiana, che riesce a liberarsi di quel tratto urbano sul piano culturale, e meridionale su quello organizzativo, che ancora la caratterizzavano nella seconda metà del VI secolo, al momento dell'invasione longobarda (allorché su 250 città episcopali circa, esistenti nella penisola, solo 1/5 era nell'Italia del Nord: non da ultimo perché più difficile risultava per Roma disputare al potere politico il controllo sui vescovi in questa area).

L'effettiva cristianizzazione dell'Italia, cioè delle campagne, avviene specialmente grazie ai monaci e ad una rete capillare di chiese – le pievi, dal latino *plebs* – adibite a tutti gli uffici e le funzioni della *cura animarum* a cui le altre chiese non erano autorizzate, e appositamente destinate alle zone rurali. È così che nasce il rapporto tenace e profondo tra il cristianesimo e il mondo popolare-contadino italiano: rapporto fatto di un impasto di «sopravvivenze» pagane più o meno superficialmente adattate ai dettami della nuova religione (si pensi ad esempio a tanti santuari di sommità dell'Appennino centro-meridionale che spesso di trovano nello stesso luogo di antichi culti precedenti), del bisogno elementare di protezione, e spesso di una fascinazione elementare per il radicalismo del messaggio evangelico. La sacralizzazione dello spazio rurale copre le campagne italiane di una messe sterminata di edicole, di crocifissi, di tabernacoli ai bordi dei campi, di cappelle, mentre nelle profondità del mondo contadino nascono o mettono radici devozioni dall'enorme spessore emotivo e simbolico.

È il caso del culto della Madonna, destinato a diventare, dopo quello di Cristo, il culto principale del cattolicesimo. Non solo attraverso lo sviluppo della devozione mariana, che inizia la sua grande stagione alla fine del

Medio Evo, le zone rurali trovano un compenso alla mancanza di reliquie di cui esse soffrono rispetto ai centri urbani, ma addirittura esse tentano di «invertire a loro profitto le relazioni di dipendenza in rapporto alla socialità urbana». La Madonna appare quasi sempre in campagna, a umili figure popolari, e i suoi santuari si trovavano perlopiù lontani dalle mura cittadine. Nel culto mariano si esprime la tendenza più o meno cosciente – ha osservato un autorevole studioso – a «trovare un rapporto con Dio che sfugge al condizionamento del potere: la Madonna non ha bisogno della canonizzazione pontificale; la Madonna appartiene al popolo prima che alle istituzioni».

Con la sua collocazione fuori dall'ufficialità e le sue attribuzioni contraddittorie (essa è insieme vergine e madre, umile creatura ma potentissima presso il figlio divino), la madre di Dio convoglia l'aspirazione a una religiosità meno controllata, più intima e dolce, più libera. Sarebbe un esercizio troppo facile cercare di trarre spericolate conclusioni sul carattere degli italiani e sul loro rapporto con la figura femminile dalla popolarità immensa che il culto mariano ha guadagnato in tutta la penisola e in tutti gli strati sociali. Ma è certo che la Madonna si mostra capace di conciliare in maniera perfetta due esigenze che appaiono entrambe centrali nella religiosità italiana: la necessità di istanze di mediazione – cioè di preti, monaci, santi, miracoli, e quindi anche dell'istituzione ecclesiastica – e insieme la necessità, che in certo senso è l'altra faccia di quella ora detta, di una forte personalizzazione del rapporto con la trascendenza, di stabilire anche in questo ambito un rapporto in grado di mettere in campo i bisogni ma anche le risorse dell'individualità.

Ciò che sta al fondo di tutto è ancora e sempre la consapevolezza tutta italiana della precarietà del proprio stato, che la durezza dei rapporti sociali e la tradizionale lontananza delle istituzioni rende più acuta di quanto di per sé già non comporti la semplice condizione umana. La consapevolezza che solo da se stessi e da chi ci è vicino, da chi ci conosce e che noi conosciamo, ci si può attendere qualcosa di buono. È un sentimento siffatto quello che tiene insieme tutte le comunità italiane, dalla famiglia al villaggio, e ne fonda il vincolo con il *suo* protettore, umano o divino che sia, con il *suo* santo, con la *sua* Madonna. Lo sapeva la comunità delle donne di Monterchi, un piccolo paese vicino ad Arezzo, quando ancora alla metà degli anni '50 di questo secolo impediva il trasporto a Firenze, per l'occasione di una mostra, dell'immagine della Madonna del Parto di Piero della Francesca conservata in una cappella vicino al cimitero (venticinque anni dopo, invece, il dipinto sarebbe stato tranquillamente dato in prestito al Metropolitan Museum di New York). A muovere le donne non era certo la reverenza per una delle massime icone della pittura italiana del Rinascimento, ma qualcosa di assai più elementare: «Le donne incinte – confidava una vecchia contadina – quando vedono la pancia della Madonna, si tranquillizzano e sperano sempre di farcela bene. Il parto è una cosa naturale ma tanto rischioso, e un conforto a noi donne non ce lo dà nessuno, è il pensiero della Madonna che ti protegge, ti aiuta a superare il dolore».

Vive in queste parole un cattolicesimo popolare, e specialmente contadino, fatto di immediatezza e di devozione, di pietà per la condizione umana, che è diventato in qualche modo parte costitutiva dell'antropologia italiana, e ha trovato, e trova modo di esprimersi soprattutto nei momenti tragici della vita delle singole collettività e della nazione. È allora che viene alla luce questo indistinto fondo cristiano dell'«umile» Italia; è allora che si percepisce quanto esso sia presente ed operante, che si vede quanto sia difficile che presso la gente della penisola non abbia ascolto chi sappia il linguaggio dell'afflizione e del sentimento, il linguaggio che rifiuta ogni «elevatezza», ogni «discorso» per affidarsi solo a ciò che è universalmente umano. Così come universalmente umano, legato alla più consueta materialità di ogni giorno, è il presepe, immaginato sì da Francesco ma divenuto in breve la creazione collettiva forse più nota – certo quella più capace di forze espressive e di poesie di questa religiosità tutta cose e sentimenti.

È una religiosità popolare che ha trovato – e trova – alimento di continuo, e a sua volta ha alimentato una vocazione anch'essa popolare della Chiesa italiana. Quando dico vocazione popolare voglio dire innanzi tutto, naturalmente, capacità dell'organizzazione ecclesiastica di portare attenzione alle necessità più elementari degli strati inferiori della società e di darvi risposta attraverso la creazione vuoi di congregazioni, ordini religiosi, iniziative associative apposite, vuoi di istituzioni assistenziali, ospedaliere, scolastiche. È la capacità, dunque, della Chiesa di stabilire attraverso queste vie un rapporto profondo e organico con le più vaste masse e la loro vita materiale quotidiana, sì da divenire e di rimanere per secoli, al di là dei suoi aspetti strettamente religiosi, l'unica istituzione italiana con una forte base e contenuto popolari.

Tale vocazione popolare si presenta con un altro aspetto ancora, assai importante: e cioè il fatto che per molti secoli il potere della Chiesa è l'unico potere italiano disposto a consentire l'ingresso nelle proprie fila – fino ai livelli massimi del collegio cardinalizio e del pontificato – a individui provenienti dagli strati sociali più umili essendo – grazie al celibato ecclesiastico – l'unico potere in gran parte al riparo dalla trasmissione ereditaria e perciò in grado di compiere una valutazione anche meritocratica dei propri rappresentanti. È così che specialmente dopo il concilio di Trento molti fanciulli italiani di povera origine contadina ma di qualche ingegno, riescono, grazie ad un parroco volenteroso (e quasi sempre, non si dimentichi anch'egli di analoghe origini), ad impadronirsi del leggere e scrivere, trovando poi modo di continuare a studiare nelle aule di qualche seminario. Ed è altresì in questo modo, anche in questo modo, e per questa concretissima ragione sociale che, da un lato l'istituzione ecclesiastica riuscirà a non smarrire mai il filo di un rapporto reale con il suo gregge, e che dall'altro, agli occhi di questo, la Chiesa e i suoi ministri, pur collocandosi al centro di una lunga serie di diffidenze e di stereotipi negativi, conserveranno sempre però un'immagine familiare, come di qualcosa inevitabilmente vicina e propria.

Il rapporto assai stretto della Chiesa con le classi popolari si ripete in forme naturalmente diverse nel caso delle comunità urbane. Già il declino e poi la rovina dell'Impero per effetto delle invasioni barbariche vedono emergere in varie parti della penisola la figura del vescovo «defensor civitatis». Che è tale, beninteso, in quanto vescovo «romano», di una Chiesa che è la Chiesa di Roma, e che dunque fa di lui il naturale depositario di consuetudini e memorie di civiltà, di ordine, di legalità. È comunque così forte – anche per questo ruolo chiamiamolo politico che egli si trova a svolgere – il segno lasciato dalla figura del vescovo sull'immaginario della comunità, che nella maggior parte delle città italiane è proprio il primo vescovo cristiano o uno dei suoi immediati successori a divenire il santo patrono della città stessa.

Specie nell'area centro-settentrionale della penisola, caratterizzata dal fiorire della vita comunale, e quando questa fioritura si svilupperà, il culto dei santi vescovi locali, insieme al culto delle reliquie – in genere ospitate nella cattedrale e considerate come vero e proprio simbolo dello *status* della città – diventarono un elemento centrale dell'identità comunitaria, un fattore primario della nascita di una coscienza civile urbana.

Nell'esperienza comunale italiana il cristianesimo assume valore e significato di religione civica, si compenetra di politica, è motivo e pretesto di unità e insieme di

51

spirito di fazione (si pensi alla storica divisione tra guelfi e ghibellini). Quando una città ne vince e conquista un'altra, questa in segno di sottomissione è obbligata ad adottarne i santi e le festività religiose: come sanno le terre della Toscana che vedono diffondersi il culto e l'immagine di San Giovanni al seguito delle vittorie di Firenze. In un'epoca in cui il potere delle immagini non conosce che il tramite dell'arte, questa e le sue raffigurazioni pubbliche acquistano anch'esse, molto spesso, un altissimo valore ideologico-politico legato alle vicende della città o al significato di ordine simbolico che questa intende dare alla sua concreta realtà storica. Ma quasi sempre il valore ideologico-politico o il significato di ordine simbolico di cui trattasi è affidato, non a caso, a immagini di soggetto sacro. Tra i tanti ne è un esempio straordinario il Palazzo Pubblico di Siena che dal grande monogramma azzurro e oro che vi campeggia sulla facciata – inventato da San Bernardino ispirandosi a un passo di Caterina – alla *Maestà* di Simone Martini, alla Madonna col Bambino di Ambrogio Lorenzetti (la quale reca in mano il globo con i colori bianco e nero di Siena) vuole essere tutta un'esaltazione della patria cittadina come custode tanto della carità divina quanto del bene comune e della giustizia.

Insomma, in una gran parte della penisola l'identità urbana è per molti aspetti un'identità religiosa, e viceversa. Se ne ricorderanno i governi di Gran Bretagna e Stati Uniti allorché, avendo deciso di restituire all'Italia il cosiddetto Territorio libero di Trieste, nel 1953, non al capo del governo o dello Stato italiani lo consegneranno, bensì al vescovo della città, il quale a sua volta li passerà alle autorità civili.

Su questa presenza della Chiesa e del cristianesimo che per sedici secoli aveva avuto modo d'intrecciarsi così strettamente e in un così alto numero di forme con l'identità italiana, sopraggiunse la Controriforma. A differenza di altri paesi cattolici come la Francia, l'Austria, e pure la

Spagna, dove l'apparato ecclesiastico trovò il freno e la non eliminabile interlocuzione di un saldo potere monarchico – in Italia, invece, approfittando della debolezza di ogni altra autorità, la spinta e la prassi controriformistiche ebbero l'opportunità di dispiegarsi in pieno saldandosi minacciosamente al potere già grande, e destinato a diventare grandissimo, dell'Inquisizione, riorganizzata in forma centralizzata e con compiti meglio definiti nella seconda metà del '500.

Tutta la vita del paese ne uscì modificata profondamente; in che modo soprattutto lo riassumono bene queste righe di uno storico di oggi, Adriano Prosperi: con la Controriforma, egli scrive «il passaggio attraverso le maglie della Chiesa si conferma come l'esperienza più importante e più frequente per l'intera popolazione italiana durante tutta l'età moderna. Quella esperienza era organizzata in modo da non lasciare alla libera scelta del singolo nessun momento della sua vita: un sistema di padri spirituali, confessori, parroci, inquisitori, rivendicava su ogni momento importante, su ogni pensiero, su ogni espressione, una giurisdizione propria. E tuttavia il sistema non era duro nelle sanzioni: piuttosto richiedeva adesione e abbandono».

Proprio in questa adesione e in questo abbandono imposti con sagace flessibilità sta il cuore dell'effetto morale deprimente che la Controriforma lasciò sullo spirito e sull'antropologia italiani, e che a ragione le è stato – e continua ad esserle – imputato. L'azione di disciplinamento cui essa sottopose la vita quotidiana delle classi popolari, nonché il richiamo da essa rivolto a una certa decenza di comportamento nelle classi dirigenti, non furono cose in sé negative. Tutt'altro! Negativi, invece, assai negativi, furono i modi sociali e psicologici attraverso i quali ciò avvenne – la paura del castigo, il prevalere dell'obbedienza sulla coscienza, cioè l'abitudine ad assentire senza consentire, dunque alla doppiezza e alla dissimulazione – e il carattere che da quei modi derivò assai a lungo al cattolicesimo italiano: il carattere di una religiosità perlopiù formale, ritualistica, deresponsabilizzata, alla fine vuota.

Zenith della potenza sociale e culturale della Chiesa nella penisola, plasmatrice come pochi altri fenomeni dell'identità antropologica italiana, la Controriforma è divenuta – anche per la sua coincidenza cronologica con la grande crisi politica del '500 e l'occupazione straniera di parti importanti d'Italia, l'incarnazione paradigmatica di tutto ciò che in quell'identità ha cominciato ad apparire negativo dal XIX secolo in avanti. È soprattutto muovendo dalla Controriforma, prendendo a motivo la sua azione e i suoi effetti, che la sensibilità moderna, orientata inevitabilmente in senso nazionale e democratico, ha messo in questo modo sotto accusa l'intero rapporto tra la Chiesa (e in trasparenza, o talvolta no, dietro questo imputato non era difficile scorgere le sembianze di un altro: il cattolicesimo *tout court*) e l'Italia. A tale rapporto sono stati più o meno direttamente imputati, di volta in volta, il ritardo dell'unità nazionale e la debole moralità pubblica degli italiani, la loro irreligiosità mascherata di superstizione e l'inclinazione bellettristica e servile degli intellettuali, la «decadenza», e molte e molte altre cose ancora.

Mi sembra difficile trovare realmente convincenti tutti questi capi di accusa, e ancora più difficile accettare che nelle cose della storia grandi fenomeni di ordine al tempo stesso sociale, culturale, politico, siano spiegabili – e spiegati – ricorrendo ad una sola causa, in tal modo semplificando ciò che è inevitabilmente complesso. Ma su ciò naturalmente si può discutere e, comunque, quanto appena detto non vuole affatto suonare come una sorta di implicita «assoluzione» della Controriforma, assoluzione la quale poi finirebbe paradossalmente con il fare propria la medesima dose di semplificazione, solo rovesciata di segno, della «condanna» cui si contrappone.

Quel che appare, invece, sicuramente insostenibile dal punto di vista storico – che è l'unico che qui c'interessa – è la riduzione del bimillenario rapporto tra Italia e cristianesimo, mediato dalla Chiesa, ai due secoli sia pure importantissimi, della Controriforma. Il rapporto tra Italia e cristianesimo nasce ben prima e va ben oltre la Controriforma; non solo, ma – cosa che l'attenzione troppo focalizzata sulla Controriforma impedisce di cogliere – è un rapporto in cui i due termini danno allo stesso tempo che ricevono. Sicché, come è ovvio che il cattolicesimo ha modellato tratti decisivi dell'identità italiana, appare altrettanto sicuro che ci sia più di qualcosa del *genius loci* italiano nel cristianesimo cattolico: avrebbe potuto del resto essere diversamente in un'istituzione per secoli gestita in grande maggioranza da italiani? L'unica istituzione di carattere mondiale dove è consueto l'uso della nostra lingua? In realtà, è nelle forme che esso prende in Italia – forme rituali, devozionali ma in specie in quelle forme massimamente espressive e apportatrici di significato che sono le forme artistiche – è nelle forme italiane che il cattolicesimo sembra attingere un'irrepetibile quintessenzialità. Dalle scene della vita di san Francesco di Giotto alle Madonne di Caravaggio, alle architetture di Michelangelo e di Bernini, è l'arte fiorita in Italia che appone sul cattolicesimo il suggello simbolico più alto e definitivo, facendone visibilmente un «acquisto per sempre» della bellezza e della speranza umane.

## Notazioni bibliografiche

Sull'origine del nome «Italia» cfr. M. Pallottino, *Storia della prima Italia*, Milano, Rusconi, 1994, pp. 183-184 e soprattutto L. Cracco Ruggini e G. Cracco, *L'eredità di Roma*, in *Storia d'Italia Einaudi*, vol. V, t. I, Torino, Einaudi, 1973, pp. 33-34 che seguono le vicissitudini dell'«immagine italiana» fino e oltre al 1000, allorché «la nazione d'Italia scompare, come vaga espressione geografica dietro le tante *civitates* capaci di creare una propria territorialità» (p. 43), per poi rinascere prepotentemente nel '300.

La definizione d'Italia di Plinio il Vecchio è in A. Giardina, *Le due Italie nella forma tarda dell'Impero*, in *Italia Romana. Storie di un'«identità» incompiuta*, Roma-Bari, Laterza, 1997, p. 66. Sulle «regioni» in cui il potere romano divise la penisola anche uno storico contemporaneo può imparare molto dal bel libro di R. Thomsen, *The Italic Regions. From Augustus to the Lombard Invasion*, Roma, L'Erma di Bretschneider, 1966.

Sul rapporto tra urbanizzazione e romanizzazione insistono con forza L. Cracco Ruggini e G. Cracco, *L'eredità di Roma*, cit., p. 14.

I dati sull'antichità dell'urbanizzazione italiana in E. Sereni, *Agricoltura e mondo rurale*, in *Storia d'Italia Einaudi*, vol. I, cit., p. 176. Sul paesaggio urbano come decisivo per l'autoriconoscimento degli italiani, cfr. U. Tucci, *Credenze geografiche e cartografia*, in *Storia d'Italia Einaudi*, vol. V, t. I, Torino, Einaudi, 1973, p. 83.

Sull'adozione del volgare da parte dei vari Stati della penisola per i propri atti e sulla composizione del lessico italiano con la fortissima presenza del latino, C. Marazzini, *La lingua italiana. Profilo storico*, Bologna, Il Mulino, 1994, pp. 91-98, 417-420.

I dati di fatto su cui si basano le osservazioni circa gli effetti nell'ambiente italiano del diritto romano li ho trovati principalmente in J.M. Kelly, *Storia del pensiero giuridico occidentale*, Bologna, Il Mulino, 1996, e R.C. Van Caenegem, *Introduzione storica al diritto privato*, Bologna, Il Mulino, 1995.

Sul rapporto complessivo tra la Chiesa cattolica e l'Italia, l'opera da cui mi sono lasciato soprattutto guidare è stata *Storia dell'Italia religiosa*, a cura di G. De Rosa, T. Gregory e A. Vauchez, 3 voll., Roma-Bari, Laterza, 1994-97, dai cui saggi ho tratto le notizie riportate nel testo.

In particolare sul culto della Madonna si veda il bel saggio di A. Vauchez, *Reliquie, santi e santuari, spazi sacri e vagabondaggio religioso nel Medioevo*, nel vol. I dell'opera appena citata.

Le notizie e le citazioni sulla Madonna del Parto di Piero della Francesca e sul suo culto, in W. Ingeborg, *Piero della Francesca. La Madonna del Parto*, Modena, Franco Cosimo Panini, 1996, pp. 42, 54-55.

Sul rapporto tra immagini religiose e significati politici nel caso del Palazzo Pubblico di Siena si vedano le pagine di C. Frugoni, *Immagini politiche e religiose: trama e ordito di una stessa società*, in *Storia d'Italia Einaudi. Annali, La Chiesa e il potere politico*, a cura di G. Chittolini e G. Miccoli, Torino, Einaudi, 1986. La citazione di A. Prosperi è tratta da *Riforma cattolica, controriforma, disciplinamento sociale*, in *Storia dell'Italia religiosa*, cit., vol. II, p. 46.

# Capitolo terzo

# Le mille Italie

Il 20 settembre 1870, allorché le truppe del Regno d'Italia, costituitosi neppure un decennio prima, entrarono in Roma ponendo fine al dominio temporale dei Papi, terminò anche la condizione di frantumazione statale e di profonda instabilità geopolitica che si era aperta con le invasioni barbariche e che aveva caratterizzato la penisola per circa quindici secoli.

Questa condizione di mancata unità, o per dir meglio di divisione, ha avuto un'importanza enorme, come si sa, nel formare l'immagine dell'Italia, nel fondarne l'identità, tanto più che essa si è accompagnata fin dall'inizio all'immagine di un paese aperto alle invasioni esterne, facile preda per chiunque desiderasse stabilirvi il suo dominio, proprio perché costui avrebbe sempre potuto contare su qualche alleato dentro la penisola pronto a spalancargliene le porte. Le due immagini, già naturalmente intrecciate tra loro, si sono combinate a propria volta con una terza: quella del ruolo negativo della Santa Sede che, detentrice della sovranità su una porzione del territorio della penisola, avrebbe sempre fatto da ostacolo a qualsiasi disegno o speranza, sia pure allo stato embrionale, di una autonoma statualità «nazional-italiana» o presunta tale, proprio lei, fra l'altro, affrettandosi a chiamare lo straniero ogni qual volta i suoi interessi fossero in pericolo.

Divisione, ingerenza straniera e ruolo del Papato si sono così venuti a saldare nell'immagine complessiva dell'Italia come teatro di una vera e propria catastrofe geopolitica; la quale non sarebbe altro, in un certo senso, che la prosecuzione, l'effetto prolungantesi nel tempo, di quell'altra e originaria catastrofe rappresentata dalla caduta dell'Impero romano. È questo l'insieme di idee e di emozioni che specialmente le classi intellettuali della penisola cominciano a coltivare già sul finire del Medio Evo, all'epoca delle lotte per le investiture tra papa e imperatore. È questo, per l'appunto, lo sfondo che sta dietro all'immagine dantesca dell'Italia inerme in attesa del suo salvatore, dietro la maledizione alla «tedesca rabbia» lanciata da Francesco Petrarca, dietro il suo chiedere «che fan qui tante pellegrine spade?» a coloro «cui fortuna ha posto in mano il freno delle belle contrade». Di questo medesimo sfondo fa altresì parte l'immagine di una decadenza morale che è come il naturale esito, o se si vuole l'altra faccia necessaria, della decadenza politica: «Fuggita è ogni virtù, spento è il valore/ Che fece Italia già donna del mondo», scrive Giovanni Boccaccio dando corpo a uno stereotipo già tale al suo tempo e dopo di lui infinite volte ripetuto. Stereotipo che toccherà infine l'acme e si consoliderà nella forma che ci è ancora oggi così familiare tra la metà del '500 e la metà dell'800, cioè tra l'instaurarsi dell'egemonia spagnola nella penisola e il dispiegarsi del movimento risorgimentale.

Naturalmente l'immagine della catastrofe geopolitica è divenuta uno stereotipo, cioè un grande paradigma culturale, perché ha potuto accampare un dato fattuale veramente d'eccezione. E cioè che in realtà nessun grande spazio europeo – grande non tanto in senso geografico quanto per la sua immagine culturale – paragonabile all'Italia, ha avuto una vicenda come quella italiana così ininterrotta di divisioni interne e insieme di dominazioni straniere (per trovare qualcosa di analogo bisogna spingersi nei Balcani). Il tutto, per giunta, immerso nella dimensione specialissima creata dalla presenza ideologico-religiosa della Chiesa con il suo insediamento territoriale.

Se si tiene presente, infine, che la vicenda di frantumazione statuale e di dominio straniero si è inserita nella già più volte notata eccezionale diversità dei quadri geoambientali della penisola, non meraviglia che specialmente ad occhi non italiani il nostro sia apparso un paese che in realtà non esiste, un'identità che non c'è perché al suo posto ce ne sono molte, anzi infinite. «Non si tratta soltanto di indipendenza – osservava all'indomani del 1848 un famoso storico francese, Edgar Quinet, a proposito degli avvenimenti che avevano appena scosso la penisola – ma di dare vita a ciò che non è mai esistito un solo giorno: creare un'Italia, ecco il problema».

L'Italia tuttavia alla fine fu creata, fu creato cioè uno Stato unitario più o meno corrispondente all'intero spazio geografico italiano. Ma proprio le modalità di tale processo rivelano in pieno, grazie al loro carattere singolare, quanto colma d'incongruenze fu l'unificazione e perciò quanto stentata e faticosa doveva essere la vita della compagine nazionale e statale che ne nacque.

L'Italia unita che viene proclamata il 17 marzo 1861 non si realizza intorno ad un qualche poderoso nucleo centrale, come perlopiù avviene in analoghi casi europei dove tale nucleo, a sua volta, si addensa in genere intorno a un centro rappresentato da una grande città destinata in seguito ad essere la capitale della nuova entità. Nel Risorgimento italiano non capita nulla di tutto ciò. Da un punto di vista geolitico il nostro processo di unificazione si realizza, invece, a partire da un bordo estremo della penisola, da quel Regno di Sardegna che addirittura, con Nizza e la Savoia, gravita ancora in parte verso la Francia (il cui aiuto diplomatico-militare, non si dimentichi, si rivela decisivo: è un caso di intromissione dall'esterno negli affari italiani *sui generis*, se si vuole, ma sempre di intromissione trattasi, e conferma anche nel momento della sua indipendenza la forte assenza di autonomia geopolitica della penisola).

61

Le varie aree del paese svolgono una parte assai differente nell'unificazione. Questa – una volta resa militarmente inoffensiva l'Austria sui campi lombardi – avviene essenzialmente lungo un asse Torino-Firenze-Napoli che collega e ricongiunge le uniche due vere tradizioni statali (monarchico-statali) che la storia avesse depositato nel nostro paese: quella sabaudo-piemontese e quella meridionale centrata su Napoli.

La statualità italiana si costruisce per l'appunto lungo un asse tirrenico, tra Torino e quello che ormai da secoli era «il Regno» per antonomasia, il Regno del Sud. È nel saldarsi di tale asse grazie alla spedizione dei Mille da Genova ed il conseguente sopraggiungere delle truppe piemontesi – che risiede il fulcro degli eventi il cui precipitato inarrestabile è l'unità. Ciò vale dunque sul piano geopolitico ma anche per ciò che riguarda le culture politiche e giuridico-amministrative. Piemontesi, è vero, sono i codici, l'insieme delle strutture burocratiche e tante altre cose, ma si pensi all'importanza dell'hegelismo napoletano per tutto il liberalismo post-cavouriano, o più in generale a quella cultura «alta» dello Stato, e insieme dello Stato «forte» – dunque non scevra di fremiti autoritari – così tipica della tradizione meridionale e che, grazie specialmente al siciliano Francesco Crispi, animerà istituti, comportamenti amministrativi e produzioni legislative, d'importanza decisiva per l'Italia unita.

Proprio l'accenno a Crispi suggerisce un ulteriore parallelo tra le due culture dello Stato che vedono la luce nella penisola. In entrambi i casi – Torino e Napoli – si tratta di monarchie alla cui crescita di cultura giuridica ed amministrativa, di sapere statale, se così può dirsi, non è estraneo il rapporto di dominio da esse stabilito con le due grandi isole italiane, rispettivamente la Sardegna e la Sicilia (a sottolineare, tra l'altro, la valenza «tirrenica» del loro incontro nel 1860). È come se in entrambi i casi il rapporto con una realtà fortemente diversa da quella dei possedimenti di terraferma, unito alle multiformi esigenze di controllo sociopolitico, avesse avuto una parte non trascurabile nello sviluppare una capacità di produrre strumenti conoscitivi e di regolamentazione nonché procedure operative d'intervento, di valore strutturante ai fini della formazione di una statualità moderna.

Del resto, la vocazione della statualità italiana a un nesso profondo con l'asse Torino-Napoli – o, se si preferisce, la forte tendenza della cultura piemontese-napoletana ad esprimersi in una dimensione politico-pubblica orientata allo Stato – non si esaurisce con la formazione del Regno d'Italia. Dopo di allora c'è, infatti, almeno un altro momento importante della vicenda nazionale, in cui quel nesso ha avuto modo di emergere in piena luce, e riguarda la cultura del comunismo italiano. Anche il comunismo italiano nasce nel Regno di Sardegna. Torino ne è la culla, con il gruppo dell'*Ordine Nuovo*, e anch'esso diventa davvero cultura nazionale grazie all'incontro che riesce a realizzare con un elemento napoletano, vale a dire con Benedetto Croce, custode simbolico della cultura dello Stato propria della Destra storica e della tradizione risorgimentale. Il Partito comunista, con il suo forte orientamento alla statualità, è per l'appunto il frutto dell'amalgama tra la tradizione ordinovista-leninista torinese (Togliatti) e l'idealismo di matrice crociana disancoratosi dall'approdo liberale (Giorgio Amendola). Sarà questo il vero asse del partito, e non sarà certo per un caso se tutti i segretari del Pci che hanno contato (Gramsci, Togliatti, Longo, Berlinguer, Natta e Occhetto) hanno avuto i natali tra Piemonte, Liguria e Sardegna, cioè nelle antiche terre dei Savoia.

L'Italia, dunque, non si costituisce come Stato unitario a partire da un centro. Essa anzi – se per centro s'intende un luogo capace di fungere da collante dinamico, da elemento unificatore e normatore in grado di raccogliere, elaborare e a propria volta rilanciare gli impulsi specie di natura culturale provenienti dalla periferia – resterà priva fino ad oggi di un centro siffatto. Certo non lo è stato Roma (ripeto: almeno fino ad oggi; con il suo essere assurta a capitale del cinema e soprattutto della televisione le cose sono forse, sia pure parzialmente cambiate) e l'altissimo valore storico-simbolico dell'Urbe, che la candidava ineluttabilmente ad essere la capitale del nuovo Stato, è servito malamente a nascondere questa sua incapacità-impossibilità.

Ma non solo l'unificazione italiana si compie senza un centro; non appena compiuta essa cominciò subito ad apparire un edificio senza solide basi per la troppa diversità delle sue parti costitutive e in specie del Sud rispetto al Nord. Nella celebre esclamazione che in un lettera del 27 ottobre 1860 a Cavour esce dalla penna di Luigi Carlo Farini, da pochissimo giunto nell'ex Regno di Napoli che egli si appresta provvisoriamente a governare come Luogotenente di Vittorio Emanuele: «Che barbarie! Altro che Italia! Questa è Affrica: i beduini a riscontro di questi caffoni, sono fior di virtù civile», in questa esclamazione, dicevo, ci sono già tutti gli elementi che formeranno lo stereotipo antimeridionale che il resto del paese applicherà al Sud, ricambiato da quest'ultimo, del resto, se non del medesimo disprezzo, certamente del medesimo sentimento di estraneità. Un'estraneità che certo era esasperata e destinata ad apparire irrimediabile anche per effetto della contrapposizione violenta subito sorta tra il nuovo Stato sabaudo e larga parte delle masse contadine meridionali, ma che poggiava comunque su una reale, ampia, diversità di natura, di costumi, di storia.

Sta di fatto che, sorta da tale drammatica diversità, immediatamente la bipolarità Nord-Sud, con la sua altissima potenzialità disgregativa dell'unità appena realizzata e dunque con l'allarme che suscitava, valse a cancellare, a rendere del tutto secondaria, e perciò inesistente come problema, tutta la variegata molteplicità italiana che era confluita nella costruzione unitaria, tutto l'imponente fenomeno di policentrismo urbano-regionale che in tale costruzione pure si ritrovava con l'intero peso della sua tradizione antichissima.

Si delinea in tal modo un fatto decisivo: la tendenziale cesura tra l'identità nazionale e l'identità italiana, cioè tra il modo di nascita e di essere dello Stato nazionale e il passato storico del paese, divenuto la sua natura. Avrà dunque un bel citare Giovanni Pascoli – nella commemorazione del «Cinquantenario della Patria» che tiene nell'Aula Magna dell'Università di Bologna il 19 gennaio 1911 – ben diciotto città protagoniste-simbolo del Risorgimento, da Perugia a Messina, da Alessandria a Ravenna, avrà un bel cercare per ognuna di loro un motivo di gloria o di orgoglio patriottico: in realtà il processo unitario, avendo il suo epicentro vittorioso e decisivo nel biennio 1859-60, non può che assegnare un ruolo del tutto secondario all'apporto delle città, tutto simbolicamente concentrato nel 1848. Proprio sul piano simbolico, del resto, al Risorgimento d'impronta monarchica assai meglio della Roma e della Venezia repubblicane, della Milano larvatamente federalista delle 5 giornate, si confanno gli allori guerreschi di Solferino e di San Martino e il capolavoro politico-militare della conquista del Sud, con la possibilità che questa tra l'altro offre di annettersi a poco prezzo anche l'epopea garibaldina.

Anche per questa via, dunque, l'incontro-scontro tra le due macro diversità rappresentate dal Nord e dal Sud annulla e mette a tacere tutte le altre minori diversità (e idiosincrasie). Non da ultimo perché solo quella si associa fin dall'inizio alla percezione di una diversità etico-antropologica così radicale da farne il punto critico per antonomasia della problematica identità nazionale italiana. Forse Brescia non era proprio la stessa cosa di Livorno, forse Bologna e Novara avevano avuto anch'esse due storie alquanto dissimili, ma per nessuna di loro certamente, avrebbero mai potuto essere dette le parole che un corrispondente di Massimo d'Azeglio gli scriveva nell'agosto 1861 dall'ex Regno delle due Sicilie: «Credimi, non siamo noi che profittiamo nell'unione, ma sono queste sciagurate popolazioni senza morale, senza coraggio, senza cognizioni e dotate solo di eccellenti istinti e d'un misto di credulità e di astuzie che le dà ognora nelle mani dei più gran farabutti».

Già ho detto della oggettiva frattura tra identità nazionale e identità italiana che ha prodotto questa cancellazione di fatto della diversità legata allo straordinario policentrismo urbano della penisola. Si tocca qui con mano uno dei tanti paradossi di cui sono costellate le vicende dei paesi e dei popoli. Per entrare nella modernità l'Italia ha dovuto in un certo senso negare un aspetto importante della sua propria realtà storica. Nel caso italiano, insomma – e perlomeno avuto riguardo alle forme organizzative degli spazi e dei poteri – tra il passato e la modernità non ha potuto esservi alcun trascorrere lento ed appena appena armonico, nessun passaggio connotato di un minimo di coerenza, non ha potuto stabilirsi alcuno svolgimento organico di premesse indigene.

È per questo, anche per questo, probabilmente, se la nostra modernità ha avuto un carattere inevitabilmente e drammaticamente parziale, se essa è destinata in qualche modo ad apparire sempre come qualcosa di provvisorio e insieme di «non finito». Il localismo, ad esempio, è stato rifiutato e sacrificato, ma il centralismo, a sua volta, poggiando su basi fragili, per certi versi addirittura inesistenti, non ha avuto modo di affermarsi davvero e ha dato vita a contraddizioni senza fine. Esso si è rivelato un centralismo in larga misura per modo di dire, ma proprio per questo, come ha acutamente osservato Raffaele Romanelli, la pubblica opinione, rimasta organizzata attorno a valori e interessi «locali», ha sentito (e denunciato) come vieppiù intollerabili gli sforzi di nazionalizzazione compiuti al centro, destinati peraltro a ben scarso successo. La forza tuttora vivissima dell'impronta locale sulla vita italiana e la sua crescente combattività politica dimostrano che l'unificazione della penisola è stata «contemporaneamente così debole da risultare in gran parte inefficace e così energica da moltiplicare l'avversa reazione del paese e da rafforzare i secolari sentimenti particolaristici».

Non potevano che essere sentimenti di tal genere, d'altra parte, come ho ricordato all'inizio di questo capitolo, quelli prodotti dalla vicenda italiana. L'unità della penisola, stabilitasi con il dominio romano (anche se in maniera assai meno lineare e coerente di quanto di solito si creda) si rompe con la crisi di tale dominio, e immediatamente si crea quello che sarà il segno più evidente e duraturo della divisione geopolitica italiana: il distacco del Sud dal destino del resto del paese (o il contrario, naturalmente, se si preferisce), distacco che acquisterà carattere radicale allorché nel 1130 la neoarrivata dinastia normanna, dopo aver messo fine ai possessi bizantini ed arabi risalenti a cinque o sei secoli prima, nonché ai ripetuti tentativi degli imperatori tedeschi di porre sotto il proprio dominio anche l'Italia meridionale, riesce a riunire in un solo regno la Sicilia, la Calabria e la Puglia. Da quel momento in avanti, fino al 1860, l'intero Mezzogiorno d'Italia conserverà, a parte la parentesi aragonese in Sicilia, una sua omogenea identità politico-amministrativa. Esso sarà «il Regno» per antonomasia, diventando a scadenza fissa terra d'insediamento di qualche casata straniera o, dalla metà del '500 alla metà del '700 circa, possedimento della corona di Spagna, e perciò senza riuscire ad apparire mai suscettibile di rappresentare il nucleo di una potenziale monarchia nazionale. A sud di Roma si stabilisce comunque, però, un'entità politico-territoriale assai estesa (anche a non voler considerare la Sicilia, destinata a conservare sempre la sua insularità, restando cosa a parte e diversa) la quale svilupperà via via

67

una significativa cultura statuale, in specie definendo e consolidando giuridicamente l'ambito autonomo dell'autorità civile nei confronti di quella ecclesiastica, e dell'autorità del monarca nei confronti dei feudatari. Non è un caso se nel 1224, proprio per impulso diretto di Federico II, viene fondata a Napoli l'università – un'università, dunque, sorta non dalla volontà degli studenti come quella di Bologna, bensì un'università di professori, espressione della volontà del principe – ad insegnare nella quale viene chiamato un gran numero di ufficiali e magistrati regi; e nella quale, sempre non casualmente, si sviluppa ben presto una corrente di glossatori e di giusperiti che avranno un ruolo decisivo nella formulazione della dottrina medievale dell'autorità regia e nel rivendicare al monarca meridionale un rango pari a quello imperiale.

Ciò non vuol dire che nel Mezzogiorno d'Italia la struttura feudale, diffusasi in modo massiccio con i Normanni, non rimanga tuttavia assai forte. Ma paradossalmente proprio questa si rivela una delle circostanze più importanti per lo sviluppo della cultura dello Stato di cui ora dicevo.

Infatti, per far fronte al potere baronale ed alle sue pretese, i centri urbani meridionali – comunque, col tempo assai meno floridi, sviluppati e numerosi di quelli del centro-nord – si abituano a vedere nel potere centrale l'interlocutore ad essi favorevole. Nel Mezzogiorno, dunque, il municipalismo non ha modo di mettere radici; al posto di un'ideologia dell'autogoverno cittadino e delle sue prerogative, le oligarchie locali sviluppano piuttosto un'ideologia di ceto centrata soprattutto sulle professioni giuridiche, con uno spiccato orientamento allo Stato spesso non immune da un vivo senso di fedeltà dinastica. È per l'appunto questo l'insieme di modelli sociali e culturali che nel 1860 mostreranno di potersi combinare abbastanza bene con quelli sabaudo-piemontesi entro la cornice dello Stato unitario.

Nulla di analogo accade invece per il localismo sviluppatosi nell'area centrale e soprattutto settentrionale della penisola, e che, come è noto, si manifesta per larga parte nell'esperienza della civiltà comunale, vale a dire in una delle massime peculiarità dell'identità storica italiana. Si tratta di un'esperienza che trae origine ma fa anche in certo senso tutt'uno con la eccezionale densità urbana della penisola che, dopo la prima ondata dell'età romana, conosce un nuovo grande balzo in avanti all'inizio del secondo millennio dell'era cristiana. Secondo Sereni, l'impianto dei nuovi insediamenti, già raddoppiato nel secolo X rispetto ai due precedenti, risulta accelerato nei secoli XI e XII, toccando il massimo nel XIII per poi ridiscendere. Ma è una discesa assai relativa. Per capire fino a che punto la forte urbanizzazione venga a costituire un dato permanente della nostra storia, si pensi che al momento dell'Unità si contavano in Italia la bellezza di 7.721 comuni contro gli appena 1.307 della Francia, estesa poco meno del doppio della penisola. Ma la forte urbanizzazione italiana era (ed è) tutt'altro che equamente distribuita. Sempre al momento dell'Unità Carlo Cattaneo calcolava che mentre la Lombardia da sola aveva più di 1/4 di tutti comuni del paese (2.242), per una superficie media di appena 8 km², oltre la metà dei quali non raggiungeva il migliaio di abitanti, in Sicilia, invece, ogni comune aveva in media una superficie di settantatré km² ed una popolazione di ben 6.881 anime.

Nell'area centro-settentrionale della penisola la dimensione urbana diviene dunque non solo un modello d'insediamento straordinariamente diffuso, ma – quel che più conta – assurge a matrice determinante di sentimenti e comportamenti collettivi che si compongono in una vera e propria cultura, facendo segnare uno stacco netto nei confronti di quanto accade nel Sud.

Origine e forma peculiare di tale cultura, come ho detto, è l'esperienza del Comune. Dalla fine dell'XI secolo in avanti, gruppi di signori fondiari, organizzati perlopiù sulla base di consorterie familiari, si accordano per dare vita a un ordinamento separato e distinto da quello signorile, il quale garantisca loro completa libertà personale e piena disponibilità del proprio patrimonio. Il punto di riferimento territoriale di tale accordo è il centro urbano, nel quale i partecipanti all'accordo stesso – proprietari dei terreni situati tutt'intorno – d'ora in poi risiederanno.

A dispetto di molte mitologie storiografiche tuttora in parte resistenti, l'impronta oligarchica, insita nella nascita stessa del Comune cittadino, connoterà sempre la sua vita e la sua organizzazione del potere. Ma basterà la semplice dinamica propria di tale potere – in special modo l'espandersi graduale delle consorterie originarie fino a comprendere gran parte degli abitanti della città – a produrre comunque mutamenti di enorme rilievo nella partecipazione delle masse urbane alla vita pubblica. Tanto più in quanto l'instaurazione dei nuovi ordinamenti si accompagnò ad una fase di straordinario aumento delle attività manifatturiere, commerciali, finanziarie, e dunque ad una forte crescita del benessere e dei conflitti sociali per la ripartizione di questo.

L'ampia diffusione anche nel contado di una dialettica antisignorile, la condizione di libertà dai vincoli feudali per tutti i cittadini, e infine la presenza, sia pure con poteri assai limitati, di un'assemblea generale espressione della collettività dei soggetti liberi (ben lungi, peraltro, dal coincidere con l'insieme degli abitanti), furono i principali fattori della mobilitazione politico-ideologica, e insieme culturale, che coinvolse le masse urbane e non dell'Italia centro-settentrionale legate all'esperienza del Comune. Esperienza che, beninteso, non prese alcuna forma democratica, secondo il significato che noi oggi attribuiamo alla parola, ma che si svolse tutta entro l'ambito della *fazione*, «un'associazione – è stata definita –

verticale ed orizzontale ad un tempo, la quale univa grandi e piccoli uomini». Il potere di autogovernarsi che comunque caratterizza il Comune non andò mai disgiunto, insomma, né dall'esercizio oligarchico del potere né dall'articolazione fazionale e dal vincolo di consorteria. Vedremo altrove il rapporto che lega questi modelli di organizzazione e di obbligazione politica all'identità italiana, al modo stabilitosi nel nostro paese di concepire e di vivere ambiti cruciali della vita sociale; qui basterà osservare che nella città italiana centro-settentrionale tali modelli valsero comunque a produrre non solo e non tanto uno stabile e diffuso interesse per la cosa pubblica – che pure vi fu – quanto soprattutto una forte identificazione con la propria città/comunità.

Infatti, i meccanismi della vita pubblica comunale significarono che la politica – intesa soprattutto come lotta politica, come scontro di appartenenze in lizza, spesso assai aspra, tra di loro, nonché come appropriazione di risorse a favore dei vincitori – acquistasse un'importanza decisiva per l'esistenza di un numero non indifferente di individui; che la vittoria dell'una o dell'altra parte divenisse capace di determinare l'ascesa o il declino della sorte di molti. Destino politico della città e destino personale ebbero così modo di legarsi e addirittura di coincidere. Anche per questa via prese forma e crebbe quella che si chiama una cultura civica. Lo spazio racchiuso dalla cinta delle mura divenne insieme il luogo della divisione ma anche della ricomposizione unitaria della collettività, il luogo per eccellenza della «parte» e del «tutto», che non possono esistere l'una senza l'altro.

La città, infatti, fornì il repertorio dei luoghi simbolici deputati a raffigurare l'unità della collettività, che tanto più era necessario sottolineare quanto più appariva quotidianamente negata dalle diverse appartenenze e dalle loro lotte. Il Palazzo di Città, il Duomo, la Piazza, la Torre civica e la Martinella, l'Arengario rappresentarono

71

questi luoghi, cui si aggiunsero alcuni oggetti e cose di eguale valore simbolico: dalle sante reliquie del patrono cittadino allo stendardo e all'effigie del Comune, al Carroccio. Luoghi ed oggetti, come si vede, vivificati spesso anche da un contenuto religioso: in effetti, in un'epoca in cui i vescovi non erano soliti quasi mai risiedere nella propria sede (la norma avrà reale vigore solo dopo il Concilio di Trento), anche la Chiesa locale – detentrice tra l'altro dell'assistenza pubblica – finì per divenire rapidamente tutt'uno con la città, con la sua vita pubblica e con le sue contese. Se da un lato, dunque, le famiglie eminenti mirarono al controllo dei capitoli metropolitani riempiendoli di propri esponenti, dall'altro, come ha sottolineato Sergio Bertelli, l'onore della città, il concetto di «libertas» e il culto del santo patrono divennero momenti della costruzione di una comune visione del mondo nella quale religione civica e religione in senso proprio vennero a fondersi nel modo più intimo. Solo nella città italiana, segnata così in profondità dall'esperienza comunale, sarà non a caso possibile un fenomeno straordinario come quello delle «sante vive»: mistiche che si fanno murare perlopiù nella cinta muraria urbana, e che tra visioni ascetiche e dure privazioni assurgono al rango di vere e proprie profetesse politiche, riverite e ascoltate da tutta la comunità come sacre custodi dei suoi fati, terreni ed ultraterreni.

A questa visione del mondo inestricabilmente civica e religiosa insieme, di cui il Comune è al tempo stesso origine e palcoscenico, sono legati anche, come si sa, alcuni degli episodi più significativi dell'arte italiana e proprio la capacità dell'esperienza urbano-comunale di offrirsi come motivo e tramite di trasfigurazione artistica ha contribuito immensamente, allora e poi, a decretarne il prestigio e quindi il successo. A partire dall'XI secolo i nuovi ordinamenti civili, unitamente agli ordini religiosi, divengono protagonisti di una straordinaria fase di rinnovamento delle città, che ha nell'architettura civile e nella costruzione delle grandi cattedrali il suo fulcro. Ma non si tratta solo di questo. Si tratta anche, da un lato, dell'enorme rilievo che la rappresentazione urbana prende nella pittura italiana non appena questa si distacca dalla «maniera greca». Come dimenticare per esempio il paesaggio di tetti, di strade, di case, di città appunto, che si affaccia di continuo dal ciclo giottesco di Assisi, vero incunabolo di tale modo nuovo di vedere il mondo e di ritrarlo? Dall'altro lato si tratta – fatto certo più importante – della gran massa di committenza che dall'ambiente urbano-comunale si rivolge ad architetti e pittori soprattutto, e della massa egualmente ingente di raffigurazioni prestigiose di tale ambiente, dei suoi valori, dei suoi santi, dei suoi uomini e delle sue donne, che dagli artisti ritorna indietro al pubblico. Cosicché la committenza urbano-comunale si presenta come un momento decisivo di quel rapporto tra arte e città, di quel pieno di bellezza incorporato dai centri urbani della penisola, anche dai minori, che specie ad occhi stranieri apparirà sempre come uno dei tratti più tipici dell'immagine dell'Italia.

In conclusione, il Comune – o per dir meglio la città organizzata al suo interno secondo il modello comunale, ed egemone rispetto alle campagne circostanti, sottratte al feudalesimo imperiale per essere assoggettate ai signori fondiari cittadini – tale città rappresentò senza dubbio un momento cruciale nella formazione della moderna identità italiana, la risposta prima e più incisiva alla catastrofe geopolitica determinata dalla caduta dell'Impero romano. Si trattò tuttavia di una risposta che, lungi dall'andare in senso contrario alla frantumazione della penisola inauguratasi tra il V e il VI secolo, ebbe l'effetto di accentuarla ulteriormente, contribuendo non poco a renderla definitiva. Lo sviluppo impetuoso della civiltà comunale dalle Alpi alle regioni centrali, sostenuta dalle sue floride economie e spalleggiata spesso dal papato, comportò, infatti, l'inevitabile fallimento di tutti i tentativi imperiale-tedeschi – già compromessi peraltro dal consolidamento del «Regno» nel Mezzogiorno – di ricostituire nella penisola una sovranità più o meno unitaria. Si costituì, invece, una miriade di sovranità ben salde, e a loro modo di grande prestigio, destinate come è ovvio a frequentissimi scontri tra di loro: «His diebus – siamo intorno alla metà del XII secolo e chi scrive è l'imperiale vescovo di Frisinga – propter absentiam regis, Italiae urbibus in insolentiam decidentibus, veneti cum ravennatensibus, veronenses et vicentini cum paduanis et tarvisiensibus, pisani, florentini cum lucensibus et senensibus atrociter debellantes, totam pene Italiam cruore, predis et incendiis permiscuere» [allora, essendosi fatte le città d'Italia oltremodo temerarie a causa dell'assenza del re, presero furiosamente a combattersi veneziani contro ravennati, veronesi e vicentini contro padovani e trevigiani, pisani e fiorentini contro lucchesi e senesi, mettendo a soqquadro quasi tutta l'Italia con stragi, saccheggi ed incendi].

Fu anche questo – e tranne brevi parentesi felici lo sarebbe stato fino all'instaurazione dell'egemonia spagnola sulla penisola alla metà del '500 – fu anche questo il prezzo che pagò una parte della penisola italiana per l'autodeterminazione politica e per la vittoria sull'autocrazia imperiale, l'unica alternativa essendo al massimo un instabile equilibrio.

Il localismo dell'Italia centro-settentrionale prese avvio e si mantenne in questo quadro di lotte intestine e tra confinanti, in una ridda di leghe, alleanze e contro-alleanze, finché la pressione espansionistica proveniente dagli attori esterni alla penisola ben più forti ed agguerriti, non ebbe su di esso la meglio, come prima o poi non poteva non accadere. Rovinoso dunque come soluzione del problema geopolitico italiano, il localismo centro-settentrionale costituì però un momento alto, assai alto, di accumulazione di risorse e di conoscenze, di costruzione culturale, e infine di sviluppo di un'identità civica. Un momento alto, quello del Comune, che aveva peraltro una lunga storia alle spalle. Anche senza voler aderire, infatti, alla tesi muratoriana di una diretta derivazione del modello cittadino medievale da quello romano – «non con un'improvvisa sedizione, ma a passo a passo arrivarono le città a conseguire una piena libertà e dominio» – sono tuttavia evidenti le analogie e le continuità nel rapporto tra un'antichissima tradizione di autonomia dei centri urbani e un potere di tipo imperiale.

Non è, d'altra parte, che nel resto della penisola non vi siano state città e non si siano manifestati fenomeni più o meno accentuati di localismo, ma solo nell'Italia centro-settentrionale il policentrismo urbano ha avuto modo di combinarsi con una forte crescita economica ininterrotta per almeno tre secoli, di instaurare una diretta supremazia politico-istituzionale sul contado, ed infine ha potuto contare sulla lontananza del potere centrale. Solo nell'Italia centro-settentrionale, dunque, la città ha avuto modo di divenire il massimo principio organizzativo del territorio nonché della vita sociale e culturale, stendendo sui grandi spazi regionali un fitto reticolo di punti di aggregazione e di scambio, destinati a dare vita in quei medesimi spazi ad una ricchezza di quadri ambientali ed umani straordinariamente articolati, nonché ad un ineguagliato spessore di civiltà. Non stupisce che quando nei primi anni del '600 il cartografo Giovanni Antonio Magini si appresta a riportare sulla carta le divisioni della penisola egli, più che ricalcare i confini dei vari Stati italiani del tempo, preferisca invece disegnare le aree facenti capo alle maggiori città. Ma è altresì significativo che questo tipo di rappresentazione, che pone al centro dell'organizzazione territoriale la città, sia applicato nella carta del Magini soprattutto all'area padana e non si estenda oltre l'Italia centrale: nel Sud, al posto delle divisioni per città, la carta si limita a riprodurre le grandi divisioni amministrative o geografiche del Regno di Napoli.

Grosso modo da Roma in su l'Italia è dunque una terra di città, ognuna legata intimamente al proprio contado in un vincolo di identità e di cultura civica comuni, disposta ognuna a guardare a sé come al centro di un mondo, come al centro del mondo. Questo tratto di fortissima autosufficienza culturale – che è presente e radicato, beninteso, anche nei centri urbani del Sud, ma ha consistenza e tono minori – costituisce il nocciolo della più celebre descrizione della città italiana e del suo ruolo che sia stata mai fatta: quella che si deve alla penna di Carlo Cattaneo e nelle cui righe è difficile non ritrovare brani di esperienza, è difficile non riassaporare sentimenti ed emozioni che hanno animato i giorni e la vita di chiunque sia nato nella penisola: «Le nostra città sono il centro antico di tutte le comunicazioni di una larga e popolosa provincia; vi fanno capo tutte le strade, vi fanno capo tutti i mercati del contado, sono come il cuore nel sistema delle vene; sono termini a cui si dirigono i consumi, e da cui si diramano le industrie e i capitali, sono un punto d'intersezione o piuttosto un centro di gravità, che non si può far cadere su un altro punto preso ad arbitrio. Gli uomini vi si congregano per diversi interessi, perché vi trovano i tribunali, le intendenze, le commissioni di leva, gli archivi, i libri delle ipoteche, le amministrazioni militari e sacerdotali, le grosse guarnigioni, gli ospitali. Sono i soggiorni dei facoltosi con le loro casse e le loro amministrazioni; il punto medio dei loro poderi, la sede dei loro palazzi, il luogo delle loro consuetudini e della loro influenza e considerazione, il convegno delle parentele, la situazione più opportuna al collocamento delle figlie ed agli studi ed agli impieghi della gioventù. Insomma sono un centro d'azione di una intera popolazione di duecento o trecentomila abitanti. È più facile tirare a

Parigi tutta la possidenza francese, che far disertare dal *bottegone* o dal *roccolo* una cinquantina di gentiluomini bresciani. (...) Questa condizione delle nostre città è l'opera di secoli e di remotissimi avvenimenti, e le sue cause più antiche di ogni memoria. Il dialetto segna l'opera indelebile di quei primitivi consorzi, e col dialetto varia di provincia in provincia non solo l'indole e l'umore, ma la cultura, la capacità, l'industria e l'ordine intero delle ricchezze. Questo fa che gli uomini non si possano facilmente disgregare da quei loro centri naturali. Chi in Italia prescinde da questo amore delle patrie singolari, seminerà sempre nell'arena». Un'osservazione, questa di Cattaneo, che se contrasta radicalmente con ogni ipotesi e realtà centralistica, si contrappone anche, a ben vedere, al regionalismo. Invero, alla luce delle secolari vicende della penisola le regioni, tranne casi rarissimi, non sembrano possedere molte maggiori realtà e spessore storici di quanto possa vantare lo Stato unitario. È la città con il contado, dunque è semmai la provincia la vera e originale cellula storica dell'aggregazione socio-territoriale italiana: quella provincia che però, paradossalmente, oggi non sembra stare a cuore ad alcuno dei tanti «federalisti» e decentratori d'accatto di cui sono piene le cronache politiche.

Comunque l'unificazione del 1861 fu realizzata prescindendo da ogni patria singolare. L'asse Torino-Napoli, lungo il quale essa vide compiersi l'ultimo e decisivo suo atto, costituiva anzi, in certo senso, proprio l'alternativa storica all'Italia delle città, e cioè le due esperienze che a loro modo più potevano considerarsi simili a quella delle grandi statualità europee e certamente più lontane dall'esperienza urbano-comunale. Non è però davvero il caso in questa sede di interrogarsi ancora una volta – dopo le tante e tante in cui è stato già fatto – se potesse essere scelta una strada diversa da quella che fu effettivamente scelta, o di insistere sui gravi problemi che essa comportò nei decenni a venire.

Ciò su cui vogliamo qui, invece, richiamare l'attenzione è la singolare divaricazione che ha caratterizzato il modo in cui la vita della nazione italiana si è articolata geograficamente dopo l'unità. È un dato sotto gli occhi di tutti, infatti, che le principali nuove offerte politiche che caratterizzano il '900 italiano e che possono essere ricondotte in qualche modo alla modernizzazione del paese – non una esclusa: il socialismo, il fascismo ed il cattolicesimo politico – non vedranno la luce lungo l'asse tirrenico-subalpino, lungo l'asse cioè della statualità, bensì in una zona collocata nell'area nord-orientale della penisola, ad un dipresso nel triangolo Ravenna-Venezia-Milano: vale a dire in quell'area che con le sue appendici nel centro, specie in Toscana, aveva avuto una parte tutto sommato secondaria nel corso del processo risorgimentale e nei decenni immediatamente successivi, ma che s'identificava con la grande tradizione comunale. È giusto leggere anche in ciò un segno della mancata saldatura tra Stato e società, che ha rappresentato un tratto tipico di tutta la vicenda unitaria. Nel triangolo Ravenna-Venezia-Milano e nelle sue prossimità si concentravano i fattori più cospicui di dinamica sociale presenti nel paese. È qui che si addensava il *surplus* estratto dalla bachicoltura e dalla produzione lattiero-casearia e agricola italiana; è qui che si concentravano le grandi masse di braccianti, simbolo della secolare miseria d'Italia nonché futuro seguito dei grandi partiti di massa; ed è qui, infine, che si trovava, lo abbiamo già notato, il maggior numero di centri urbani di gloriosa tradizione municipale – quelli che avevano resistito più a lungo alla crisi dell'istituto comunale – con isole cittadine di notabili aperti all'innovazione tecnico-produttiva, e altresì gruppi significativi di piccola borghesia umanistica e delle professioni, culturalmente aperti.

È dal convergere di questi fattori, punteggiato talora da aspri scontri, è dall'insieme di sinergie che in quest'area si combinano, che a partire dagli anni '80 del XIX secolo nascono i contenuti e le forme della moderna mobilitazione politica italiana. È una mobilitazione politica che non solo, come si sa, si contrappone alla linea generale allora e poi seguita da tutti i governi unitari, ma le cui forme ed i cui contenuti si pongono in una posizione aspramente antagonistica e delegittimatrice rispetto all'intera statualità italiana a dominanza torinese-napoletana.

Tuttavia questo antagonismo non riesce a plasmare una statualità propria, rinnovata e alternativa rispetto a quella tradizionale. Sorti e sviluppatisi organizzativamente tutti nella pianura padana, socialismo, cattolicesimo e fascismo, infatti, sono protagonisti in momenti storici diversi di dure lotte politiche contro l'egemonia liberale, ma quando riescono a conquistare il potere (nel 1922, nel 1948 e nel 1963) non si dimostrano capaci di modificare pressoché in nulla la vecchia costruzione statale ricevuta in eredità. Si limitano a gestirla per i loro scopi e, come è fatale che accada in questi casi, ne sono progressivamente assorbiti, fino a perdere in gran parte la visibilità del loro connotato ideologico originario.

Il fatto è che per immaginare e ancor più costruire una statualità diversa sarebbe occorso non solo un impegno dei pur ampi settori popolari del Nord-Est e dei loro gruppi politici dirigenti (che di sicuro c'è stato); sarebbe stato necessario qualcosa di più, e cioè un investimento permanente da parte dei ceti forti, delle élite sociali, di quelle regioni, che invece non c'è stato. Non si è avuto nulla del genere perché – come ha giustamente osservato Silvio Lanaro – le élite settentrionali, e di quest'area specialmente, si sono dimostrate nel lungo periodo troppo attratte e distratte dalla forte e lucrosa autopropulsività economica del loro territorio per decidere di allocare tempo e risorse in modo non episodico in altre attività. È come se la loro forza locale, unita alla forza e all'efficacia della struttura locale in cui tali élite sono inserite, impedisse loro di vedere l'importanza dello Stato. Ed è in certo senso l'esatto contrario di quanto accade al Sud, dove i gruppi notabilari, proprio per la loro sostanziale debolezza sociale, per la loro incongruità a svolgere un qualsiasi ruolo egemonico, si sentono obbligati a ritagliarsi una quota di potere «romano» al fine di riuscire a contare *in loco*, di mantenervi saldo il loro potere. Le élite sociali del triangolo padano-orientale, invece, si tengono lontane dallo Stato, non vogliono saperne ed al massimo gli assegnano una funzione ancillare in quanto dispensatore di favori.

Accade così che lo Stato rimanga un terreno inespugnato ed inespugnabile per le culture politiche italiane, nate nelle aree socialmente forti e dinamiche del paese. Le loro ansie di rinnovamento finiranno regolarmente per sbriciolarsi nell'urto contro i colli fatali di Roma, e più spesso per arenarsi nella palude della resistentissima statualità piemontese-napoletana, sempre più gestita da una classe politico-amministrativa di provenienza meridionale.

L'unica cultura politica che almeno parzialmente si sottrae a questa regola è quella incarnata dal Partito comunista. Essa ha sì i suoi punti di forza nell'area padano-orientale e nella sua appendice toscano-umbra, dove eredita ed accresce l'antico insediamento socialista, ma immette questo insediamento geo-politico-sociale nella già ricordata fortissima tradizione statualistica di marca prettamente sabauda (sardo-piemontese), che è propria del gruppo dell'Ordine Nuovo. Il Pci, insomma, sembra presentarsi come l'unico vero punto di scambio e di mediazione tra sfera politica e sfera dello Stato nell'esperienza dell'Italia contemporanea; eccezione fatta, forse, per il ruolo in qualche modo analogo svolto da un'altra cultura politica, e cioè dal nazionalismo che, privo di forza propria, fu tuttavia assolutamente decisivo per la statualizzazione del fascismo.

In Italia, dunque, geografia dello Stato e geografia della società non si incontrano. In generale, tutta l'offerta di novità politiche degli ultimi centoventi anni appare concentrata nell'area centro-settentrionale del pluri-centrismo urbano (a cominciare dalle culture politiche per così dire «storiche» della modernità italiana – socialismo, cattolicesimo, fascismo – fino alla Resistenza e in tempi più vicini a noi alla Lega) ma questo pluricentrismo non sa, non vuole, e comunque non riesce a «farsi Stato»: certamente per propria incapacità a pensare in termini adeguati la dimensione di una statualità diversa, ma anche per la resistenza passiva che il Mezzogiorno si è ogni volta mostrato capace di opporre.

Il simbolo di questo mancato incontro tra geografia dello Stato e geografia della società, come le ho chiamate, è rappresentato nella storia d'Italia dal ruolo – o meglio dal mancato ruolo – di Milano, dalla sua sostanziale incapacità di avere una qualche parte significativa e di spicco nella vita politica del paese. Tutto, infatti, avrebbe destinato Milano a fungere da punto di cerniera, di mediazione, tra il triangolo padano-orientale da un lato (nella quale era tra l'altro essa stessa inclusa), con la sua produzione di moderne offerte politiche, e dall'altro lato la statualità tradizionale. Tutto avrebbe destinato Milano a svolgere questa specifica parte riformatrice, consistente nel traghettare dentro lo Stato contenuti politici nuovi e, insieme, elaborare forme statual-nazionali anch'esse nuove. Ma è giocoforza riconoscere che essa non ne è stata capace.

La spiegazione più probabile va cercata nella cultura dei suoi gruppi dirigenti, nella cultura di una città dove sempre è stata prevalente la dimensione del municipalismo e quella dell'industriosità, il più delle volte congiunte in una prospettiva di avveduto riformismo civile. Da questo punto di vista Milano incarna davvero il prototipo della città centro-settentrionale di tradizioni comunali di cui si è detto poche pagine sopra, esprime perfettamente la vocazione culturale di una tale città. Il punto è che in tale cultura il nesso politica/Stato non sembra esserci. Animata di virtù civiche e di operosità, nutrita di una fitta rete associativa e di rispetto profondo per le istituzioni della collettività e le loro regole, Milano però – come dimostra tutta la sua moderna vicenda culturale nei suoi punti più alti – da Gioia a Romagnosi, a Cattaneo – anziché credere alla «grande» politica, alle sue capacità mediatrici e allo Stato, appare sempre tentata dall'utopia di una totale riduzione della società politica nella società civile, all'insegna naturalmente della produzione e della buona amministrazione. Appare credere, semmai, all'antipolitica. Il suo ruolo nella storia d'Italia testimonia egregiamente anche quello di tutto il pluralismo urbano del Centro-Nord, dell'Italia delle città e dei comuni che in lei si riassume e si rispecchia: formidabile nel contrastare «Roma», Milano si è rivelata regolarmente incapace di tentare neppure alla lontana di prenderne il posto.

Ma proprio l'evocazione di Roma serve a ricordarci anche la responsabilità della capitale per il mancato incontro tra geografia politica e geografia dello Stato. È una responsabilità che riguarda, per l'appunto, l'incapacità dell'Urbe di svolgere realmente il suo ruolo. Una vera capitale accentratrice, infatti, è tale se è in grado di nazionalizzare e statalizzare gli impulsi ed i fermenti fecondi della periferia, se è in grado di rendere generale tutto ciò che di particolare arriva al centro dalla periferia, e dunque anche le culture politiche di questa. Ma per svolgere un compito del genere la capitale deve essere attrezzata in tal senso, per esempio deve essere una capitale linguistica e culturale: ciò che invece Roma non era, né è mai stata, rivelando anche in questo, agli occhi sconsolati di Manzoni, la sua «artificialità». Sta di fatto che proprio la circostanza che al dominio politico-statale «italiano» Roma non sia stata in grado, se non forse solo in tempi recentissimi, di apportare la specifica plusvalenza di una sua egemonia linguistico-culturale, ha voluto dire ulteriore debolezza per lo Stato nazionale.

Il venir meno per ragioni diversissime – e con modalità ed effetti anch'essi naturalmente diversissimi – di Milano e di Roma in un loro potenziale ruolo di saldatura tra asse tirrenico e triangolo padano-orientale ha contribuito non poco a lasciare aperto nella vicenda italiana un vuoto assai ampio tra la sfera della statualità e quella della politica. Ha significato la permanente, difficile, integrazione tra politica e statualità. Anche a ciò si deve se nel nostro paese la politica, lungi dal sentirsi chiamata a misurarsi innanzi tutto sul terreno dell'operatività, ha sempre mostrato la tendenza, viceversa, ad assumere una forte impronta ideologica, di cui tuttora non le riesce di liberarsi (si veda da ultimo pure il caso della Lega, indotta a interpretare in chiave di secessionismo richieste ed esigenze che molto verosimilmente hanno natura assai più concreta).

Per un altro verso, la mancata saldatura di cui si sta dicendo ha avuto ancora, come effetto, il persistere di un pronunciato localismo delle forze politiche, pure cosiddette nazionali, nonché il persistere di una forte diversità tra gli orientamenti politici del Sud e quelli del Nord del paese. È vero, infatti, che i partiti, specie i grandi partiti di massa, devono essere annoverati tra i non molti agenti della nazionalizzazione italiana, ma altrettanto veri (ed evidenti) risultano i limiti con cui ciò si è compiuto. Ancora oggi, senza il voto di tre regioni del paese (appena tre su venti!) la consistenza elettorale dell'attuale partito di maggioranza relativa cadrebbe di parecchi punti percentuali, così come solo pochissimi anni fa, per poter risultare vincente alle elezioni nazionali, la coalizione di centro-destra fu costretta a dare vita ad una sommatoria, rivelatasi poi politicamente fragilissima, di due sub-coalizioni, una per il Nord (Forza Italia più Lega Nord), e l'altra per il Sud (Forza Italia più Alleanza Nazionale).

Andando un po' più a ritroso nel tempo, appare difficile negare che socialismo, popolarismo e fascismo (perlomeno se si prescinde dalle aree metropolitane dove le cose quasi sempre, ma non sempre!, si presentano più confuse) abbiano avuto un forte connotato regionale, finendo talora perfino per perdere la loro natura realmente politica, legata per esempio a determinati contesti sociali, di classe ecc. e assumendo invece il senso ed il sapore di una componente come molte altre della complessiva subcultura locale, anch'essa potentemente legata – come quasi tutto in Italia – al contesto familiare.

## Notazioni bibliografiche

La citazione di Edgar Quinet è tratta da *Le rivoluzioni d'Italia*, Bari, Laterza, 1970 (I ed. 1848), con prefazione di D. Mack Smith, che torna opportuno segnalare qui anche perché il libro costituisce uno dei manifesti di più alta ispirazione di quel ghibellinismo storiografico a cui si accenna per l'appunto in queste pagine.

Sul carattere sabaudo-napoletano della statualità italiana ha richiamato l'attenzione di recente S. Lanaro, in *Le élites settentrionali e la storia italiana*, in «Meridiana», n. 16, 1993. Sullo stesso numero della rivista circa il rapporto Nord-Sud nel processo di unificazione è da vedere M. Isenghi, *Dall'Alpi al Lilibeo. Il «noi» difficile degli italiani*.

La lettera di Farini a Cavour del 27 ottobre 1860 è citata in Nelson Moe, *Altro che Italia! Il Sud dei Piemontesi (1860-61)*, in «Meridiana», n. 15, 1992, p. 86, e sempre qui, a p. 67, è la citazione della lettera indirizzata a d'Azeglio di cui si parla più avanti. La commemorazione pascoliana in Giovanni Pascoli, *Nel cinquantenario della Patria*, Bologna, Zanichelli, 1911.

Sul rapporto localismo-centralismo nella costruzione dell'Italia si vedano la acute osservazioni di R. Romanelli, *Le radici storiche del localismo italiano*, in «il Mulino», n. 4, luglio-agosto, 1991. Uno sguardo generale ancora assai ricco di stimoli sulla storia dell'Italia meridionale è G. Galasso, *Mezzogiorno medioevale e moderno*, Torino, Einaudi, 1965.

I dati sull'urbanizzazione italiana al momento dell'Unità in

C. Correnti e P. Maestri, *Annuario statistico italiano*, a. II, Torino, 1864, cit., p. 50 e C. Cattaneo, *Le più belle pagine scelte da Gaetano Salvemini*, Roma, Donzelli, 1993 (I ed. 1922) da dove è anche presa la citazione, qualche pagina più oltre, sull'importanza della città, pp. 107, 100-101.

Sull'Italia dei Comuni e in genere su tutti i problemi connessi alla statualità e alle sue vicende nell'Italia medievale, ho tratto molte notizie e idee utili da M. Ascheri, *Istituzioni medioevali. Una introduzione*, Bologna, Il Mulino, 1994 e da M. Caravale, *Ordinamenti giuridici dell'Europa medievale*, Bologna, Il Mulino, 1994.

Altrettanto utile mi è riuscito S. Bertelli, *Il potere oligarchico nello Stato-città medioevale*, Firenze, La Nuova Italia, 1978, dove si trova la definizione di fazione riportata nel testo. Sugli aspetti religiosi nella vita politica comunale ho visto M. Ronzani, *Vescovi, capitoli e strategie famigliari nell'Italia comunale*, in *Storia d'Italia Einaudi. Annali 9, La Chiesa e il potere politico*, a cura di G. Chittolini e G. Miccoli, Torino, Einaudi, 1986, e G. Zarri, *Le sante vive. Profezie di corte e devozione femminile tra '400 e '500*, Torino, Rosenberg & Sellier, 1970.

Le parole del vescovo di Frisinga sono citate in L. Cracco Ruggini e G. Cracco, *L'eredità di Roma*, in *Storia d'Italia Einaudi*, vol. V, t. I, Torino, Einaudi, 1973, p. 42. La citazione muratoriana, invece, è in S. Grassi, *Città ed identità nazionale nelle dissertazioni di L.A. Muratori*, in *La mémoire de la cité. Modèles antiques et réalisations renaissantes*, a cura di A. Bartoli Langeli e G. Chaix, Napoli, ESI, 1997, p. 24.

Sulla carta di Giovanni Antonio Magini, si veda M. Quaini, *L'Italia dei cartografi*, in *Storia d'Italia Einaudi*, vol. VI, *Atlante*, Torino, Einaudi, 1976, pp. 16-17.

# Capitolo quarto

# Un individuo tra famiglia e oligarchia

L'individualismo ma insieme anche un radicato, radicatissimo, familismo: sono questi i due principali caratteri del modo sociale d'essere degli italiani che ci vengono più frequentemente rimandati dallo sguardo dell'osservatore straniero e al tempo stesso da una lunga tradizione di autocoscienza nazionale.

Naturalmente, di fronte a simili caratterizzazioni si può sempre sostenere che si tratta di banali stereotipi, dei quali affrettarsi subito dopo a denunciare la natura semplificatrice e convenzionale. Lo si può sostenere, dicevo, ma verosimilmente non rendendo un buon servizio alla verità. «Malgrado le loro semplificazioni e i loro molti errori – ha scritto infatti Giovanni Jervis – gli stereotipi etnici nascono da osservazioni che spesso sono esatte, e dal sedimentarsi di concrete esperienze collettive. I "caratteri nazionali" esistono davvero (…); sappiamo bene quanto le tecniche di sussistenza e i valori etici impliciti ed espliciti, i costumi e i miti tramandati e le forme dell'educazione, possano rivelarsi diversi da luogo a luogo ed esercitare influenze molto profonde a livello individuale.»

Dunque, il modo come gli italiani appaiono nelle loro singole individualità o nella loro dimensione collettiva – la loro immagine – rimanda sempre ad un'effettiva realtà storica. Non solo, ma è quasi superfluo osservare, perché appartiene si può dire all'esperienza quotidiana di ognuno, fino a qual punto l'identità italiana nel suo complesso sia influenzata da questa immagine, da questi «caratteri» degli italiani, dal loro modo di atteggiarsi negli ambiti più diversi della vita.

Tuttavia, a dispetto dello spessore storico che è facile scorgere, o più spesso indovinare, dietro i caratteri nazionali degli italiani (come di qualunque altro popolo), il difficile sta nel riuscire a connettere in maniera convincente il suddetto spessore – cioè l'insieme delle vicende sociali, economiche, culturali, politiche – con i suddetti caratteri. Il difficile, cioè, sta nell'individuare i passaggi attraverso i quali la storia di un paese diviene l'insieme delle disposizioni apparentemente solo temperamentali dei suoi abitanti, trapassa nel loro modo sociale d'essere; il difficile sta nell'individuare i momenti attraverso cui quella storia si è tramutata in sfera della quotidiana socialità di uomini e di donne.

Cos'è dunque che nell'esperienza storica italiana ha prodotto individualismo e familismo? Cosa vogliono esattamente dire da un punto di vista storico questi due termini? Ancora di più e ancora meglio: cosa ci dicono essi della vicenda degli italiani?

Per rispondere a tali domande e per tentare nel caso italiano la difficile impresa di cui dicevo poc'anzi, consistente nel legare storia e quotidianità, proverei a prendere le mosse da un'osservazione di Giacomo Leopardi, contenuta in un passo che rappresenta quasi l'architrave del suo *Discorso sopra lo stato presente del costume degli italiani* del 1824. Al centro della pagina leopardiana (ed in certo senso dell'intero saggio) c'è la constatazione di un'assenza decisiva: in Italia manca la «società stretta», come la chiama il poeta. Non esiste cioè quell'insieme di rapporti tra le persone del medio ceto che le tenga unite in un trama capace di strapparle alla pura sfera individuale, immettendole, viceversa, in quell'«uso scambievole», nel quale «gli uomini naturalmente e immancabilmente prendono stima gli uni degli altri». Si tratta, naturalmente, di rapporti che possono sussistere solo tra persone non occupate tutto il giorno a soddisfare i loro «bisogni primi», e alla fin fine tale «società stretta» non ha altro fine che «il diletto e il riempire il vuoto della vita». Ma ciò nonostante, aggiunge Leopardi, essa «fa che ciascuno fa conto degli uomini e desidera farsene stimare (...), e li considera per necessari alla propria felicità, sì quanto ad altri rispetti, sì quanto a questa soddisfazione del suo amor proprio che ciascuno in particolare attende, desidera e cerca da essi, da' quali dipende, e non si può ricever d'altronde».

In sostanza, secondo Leopardi, ciò che più colpisce della situazione italiana è l'assenza di un tratto riguardante il modo d'essere e di vivere delle classi dirigenti; ed è precisamente tale assenza che costituisce a suo giudizio la chiave per penetrare nel catalogo dei vizi che affliggono i costumi degli italiani. Anche in questo caso il male insomma comincerebbe dall'alto.

È in alto, è nella parte superiore della società che con maggiore evidenza è venuto meno qualcosa, che non si è formato un buono stampo, cioè quella società dove secondo il poeta prende vita l'uomo moderno per antonomasia, con la sua «ambizione», la sua sete di «gloria» e quel particolare sentimento della rispettabilità che può essere considerato un'accezione aggiornata dell'«onore» (tutti e tre i termini sono contenuti nel *Discorso*).

Leopardi naturalmente non manca di sottolineare il carattere interamente formale-convenzionale che contraddistingue la socialità moderna che ha appena descritto, e dunque anche la riproduzione delle singole personalità. Egli scrive infatti che il fondamento della società stretta – «*L'unico fondamento* (corsivo mio) che resti a' buoni costumi» – è il «buon tuono», come egli lo chiama, vale a dire l'insieme di regole e di comportamenti accettati dalla società stessa: «dove il buon tuono della società non v'è o non si cura, quivi la morale manca d'ogni fondamento e la società d'ogni vincolo, fuor della forza, la quale non potrà mai produrre né i buoni costumi né bandire e tenere lontani i cattivi. Così (...) la società stessa producendo il buon tuono produce la maggiore anzi unica garanzia de' costumi sì pubblici che privati, che si possa ora avere, e quindi è causa immediata della conservazione di sé medesima».

La mancanza nella penisola della «società stretta» e del «buon tuono» denunciano dunque precisamente questo: il non avvenuto passaggio della socialità italiana dalla sfera che potremmo chiamare della naturalità premoderna a quella della convenzionalità, che invece è tipico dei tempi nuovi: l'assenza di un decisivo denominatore per così dire formale nella produzione degli individui. Altrove, in Europa, questi ormai si formano e si muovono nel mondo svincolati da ogni rapporto sia con la trascendenza sia con le appartenenze tradizionali come la famiglia, o come quelle strettamente connesse alle attività lavorative o al territorio. Non è più infatti in queste sedi, non è più nella casa del padre, nella corporazione di mestiere, nella vicinìa, nella contrada, nella confraternita, che si formano le personalità individuali, la morale collettiva, o l'opinione pubblica di un paese. È nella società del «buon tuono». E sebbene a Leopardi non sfugga certo come tutto ciò configuri una «precisa miseria», come la riduzione «quanto alla morale» delle opinioni e delle nazioni al puro e semplice «buon tuono» rappresenti un impoverimento, tuttavia egli è costretto ad ammettere che è pur sempre una «miseria» che funziona, che è così che si produce l'uomo moderno.

Ma che si produce altrove, non in Italia, come si è già avuto modo di osservare. In Italia – una nazione tra l'altro che non ha centro, e dove quindi «non havvi veramente un pubblico italiano» – non hanno visto la luce la società, l'opinione pubblica e la cura del proprio onore che si ritrovano invece negli altri paesi. Nella penisola, anche nelle classi elevate, la formazione dell'individuo è rimasta circoscritta all'ambito della tradizionalità a base naturale, inserita per intero entro gli aggregati organici, o in quelli sociali fortemente tipizzati dominati dal localismo. L'immediatezza da un lato e il formalismo dall'altro, la spontaneità per un verso e l'etichetta per l'altro (intesa in senso ampio come rigido adeguamento al lascito del passato), sono i due estremi, solo apparentemente contraddittori, entro i quali appare destinato ad oscillare l'italiano tipo e la sua socialità. Questo italiano sarà dunque individualista – perché l'individualismo è per l'appunto l'espressione più ovvia dell'immediatezza e della spontaneità – ma al tempo stesso amante del gruppo chiuso (della famiglia, del ceto, della corporazione) dominato da regole antiche.

È questo il prezzo ambiguo che il modo sociale d'essere degli italiani è stato chiamato a pagare per la mancata conquista dell'«artificialità» moderna, priva per sua natura di alcun legame significativo con la famiglia e con il territorio, dove gli individui vengono plasmati in un ambiente che ha rotto con gli orizzonti chiusi precedenti, all'interno di un'ampia generalità di esseri e di idee in movimento e combinazione continui, con un vasto «uso scambievole» gli uni degli altri.

Dopo Leopardi, constatare l'assenza dell'individuo moderno dal panorama italiano è diventato un autentico leitmotiv della nostra autocoscienza nazionale (si pensi alla centralità del problema nella *Storia* di De Sanctis). Ma la spiegazione di tale assenza – pur non potendo evidentemente prescindere dalla grande questione del generale ritardo italiano rispetto alla modernità – deve tuttavia cercare di ritagliarsi, all'interno di una tematica così ampia, spazi e ragioni specificamente suoi, capaci di dare conto in maniera adeguata e plausibile del rapporto tra vicende storiche e meccanismi di formazione della personalità e della socialità. Che cosa di propriamente moderno ha fatto dunque difetto in Italia a tali meccanismi, impedendo loro di dare il frutto che viceversa si è avuto altrove? Quale tipico aspetto della modernità non è stato presente nella penisola?

Una prima risposta la troviamo in un passo di Machiavelli. È un brano tratto dai *Discorsi sopra la prima deca di Tito Livio* nel quale l'autore, prendendo a modello positivo la situazione della Germania, delinea gli effetti viceversa negativi prodotti in Italia dalla vasta, troppo vasta, presenza di «gentiluomini»:

gentiluomini sono chiamati – scrive – quelli che oziosi vivono delle rendite delle loro possessioni abbondantemente, sanza avere cura alcuna o di coltivazione o di altra necessaria fatica a vivere. Questi tali sono perniziosi in ogni repubblica ed in ogni provincia; ma più perniziosi sono quelli che oltre alle predette fortune comandano a castella, ed hanno sudditi che ubbidiscono a loro. Di queste due spezie di uomini ne sono pieni il Regno di Napoli, Terra di Roma, la Romagna e la Lombardia. Di qui nasce che in quelle provincie non è mai surta alcuna repubblica né alcuno vivere politico; perché tali generazioni di uomini sono al tutto inimici di ogni civiltà.

Il «vivere politico» di cui parla Machiavelli è la fine della separatezza individuale propria della vita privata e naturale, è l'ingresso degli individui nella sfera della cosa pubblica – la «repubblica» del suo italiano ancora latineggiante –, la loro partecipazione purchessia (certo non nelle forme delle nostre moderne democrazie) alla vita collettiva con un minimo di responsabilità reale o simbolica, la loro immissione in ambiti associativi connessi a tale vita. È, insomma, la politica nel senso originario e classico del termine, di ciò che attiene alla «polis», e la cui assenza dà conto in non piccola misura della mancata formazione in Italia dell'individuo e della socialità moderni. È la politica – cioè l'immissione nell'agire politico di masse consistenti di uomini e di donne – l'aspetto peculiare della modernità che ha fatto difetto all'Italia.

Machiavelli ci spiega perché questo «vivere politico» si è progressivamente allontanato, fino a scomparire, dall'esperienza storica di larga parte della penisola. È stato il sommarsi della rendita fondiaria («le possessioni») e del potere politico («comandano a castella ed hanno sudditi che ubbidiscono a loro») nelle mani del ceto dei proprietari. È quanto osserva per l'appunto Machiavelli, scrivendo nei primi anni del '500, ma è quanto possiamo ripetere noi a maggior ragione. Nei secoli successivi, infatti, con l'inizio della preponderanza spagnola nella penisola, l'irrigidimento controriformistico, il decadere delle attività mercantili e la conseguente riconversione della ricchezza alla proprietà terriera, il potere italiano si restringe e si concentra, la vecchia tradizione oligarchica si rafforza, viene cancellata ogni residua presenza «popolare» negli ordinamenti cittadini. L'ascendente, il prestigio, le prerogative sociali si assestano definitivamente e per intero nelle mani dei machiavelliani «gentiluomini», vengono fino in fondo monopolizzati dal loro universo ideologico e stilistico di tipo signorile-feudale. Ciò che in Italia la politica è e significa, nonché la dimensione di essa che si afferma nel panorama della penisola, sono in stretta relazione con i processi di chiusura e di irrigidimento del potere che ho richiamato appena ora: rappresentano l'altra faccia della medaglia.

Proprio in conseguenza di essi, infatti, la politica in Italia si lega sempre di più ad una dimensione di esclusivo potere, viene considerata e praticata come puro esercizio di autorità e come appropriazione-distribuzione di risorse pubbliche. In questo senso gioca per l'appunto, a partire dalla fine del '500, il rinsaldarsi della prospettiva oligarchico-nobiliare in tutto il paese e l'affermarsi dell'egemonia straniera. La decadenza economica e la sostanziale, generale, perdita d'indipendenza degli Stati italiani spinge i patriziati urbani, le schiere sempre più folte dell'aristocrazia terriera, i gruppi burocratico-militari e finanziari fiduciari della Spagna a cercare di allargare ancor più il proprio comando per allargare ulteriormente i margini del proprio reddito e del proprio prestigio sociale. È una concezione della politica ispirata da questi moventi, e volta a questi fini, quella che si fissa nell'anima della società italiana, che le sue classi dirigenti si abituano a considerare ovvia. La politica diviene una dimensione perseguita ed ambita almeno quanto disprezzata, e sempre per la medesima ragione: per il suo contenuto venale. Questo modo d'essere della politica è l'esatto opposto del machiavelliano «vivere politico», ed è questo che fa terribile difetto nell'esperienza italiana: la politica pensata ed agita come definizione (e realizzazione) dell'interesse collettivo, naturalmente attraverso la composizione di una serie di interessi particolari. A causa verosimilmente dell'assenza di una statualità forte, ciò che viene a mancare nella vita collettiva italiana in qualità di elemento caratterizzante e strutturante sono, come avrebbe detto Pietro Verri, le «idee comuni de' comuni interessi», quelle idee cioè che mettono capo a «leggi generali e note». Vengono a mancare, dunque, per conseguenza, il retroterra di socialità, le esigenze di mobilità, di studio, di scambio, che rappresentano il necessario corollario della politica intesa come «vivere politico». In Italia, invece, i meccanismi ascrittivi e di rango, la famiglia, il lignaggio, continuano in tal modo ad esercitare tutto il proprio ruolo, schiacciando con il loro peso qualsiasi prospettiva di libera formazione dell'individuo e di connessa fioritura di una «società» fondata sulle qualità personali, sul merito, sulla stima, sull'ambizione del singolo e sul giudizio dell'opinione, come era quella a cui pensava Leopardi.

Insieme all'assenza della politica, l'assenza di un secondo fattore decisivo: la cultura. Se in Italia non prende piede quell'artificiale «uso scambievole» tra gli uomini di cui andava inutilmente in cerca il conte di Recanati è anche perché da noi tale uso non dispone – o non dispone in misura sufficiente – dell'ambito alla fin fine essenziale entro cui possono stabilirsi i legami che lo alimentano e lo tengono insieme, e cioè per l'appunto la cultura. Pochi fenomeni sociali come la cultura, infatti, appaiono dotati di tanta capacità aggregante, pur svolgendo al medesimo tempo un fortissimo ruolo nella costruzione della personalità individuale. Ma proprio da questo punto di vista l'Italia giunge all'appuntamento con la modernità in terribile ritardo.

Non si tratta solo del pur impressionante tasso di analfabetismo – alla metà del secolo XIX non sapeva né leggere né scrivere il 70-80 per cento della popolazione: la percentuale più alta in Europa dopo quella della Russia (90%), e circa quattro volte superiore a quella di paesi come la Prussia o la Svezia –; è soprattutto il fatto che per due secoli e oltre avevano agito in profondità, e facevano ora sentire tutto il loro peso, fenomeni negativi per l'intera società italiana ma in specie per il livello culturale dei gruppi dirigenti effettivamente esistenti o di quelli eventualmente nuovi che potessero formarsi. Mi riferisco alla decadenza delle università sotto il pesante attacco dogmatico della Chiesa controriformistica (nel 1564 Pio IV aveva imposto a tutti i laureandi un giuramento di ortodossia cattolica), al controllo capillare degli intellettuali e dell'editoria esercitato dalle autorità ecclesiastiche in modo omogeneo e ferreamente organizzato (ciò che lo differenziava non poco, quanto agli effetti, dal pur analogo controllo tentato da Chiese e Concistori protestanti nelle terre della Riforma), alla frigida versione in chiave retorico-grammaticale in cui fu volta la tradizione umanistica dai Collegi dei gesuiti, monopolisti assoluti della formazione delle classi superiori della penisola.

È in questo ordine di fatti e di motivi – nel deciso restringimento degli spazi di libertà e di originalità – che bisogna andare a cercare la spiegazione più probabile per quel fenomeno che vediamo prendere così rapidamente piede in Italia dalla fine del '500 in avanti: la scarsissima capacità delle lettere e delle idee di destare interesse sociale, di alimentare discussioni non formali e non convenzionali, l'assenza di iniziative nuove e importanti nel campo della cultura. A questo proposito non è certo casuale la distanza di oltre un secolo rispetto a imprese analoghe francesi, tedesche e inglesi, con la quale vede la luce tra il 1723 e il 1738 la raccolta delle fonti della storia d'Italia a partire dall'alto Medio Evo, i *Rerum Italicarum Scriptores* di Ludovico Antonio Muratori, strumento imprescindibile per qualsiasi ricostruzione scientifica del passato italiano e quindi per la formazione di un'identità nazionale.

Stando così le cose non meraviglia che quando la modernità europea si è già messa poderosamente in cammino, alla metà del XIX secolo, il quadro che presenta la condizione culturale della penisola risulti al confronto desolante. Lo lasciamo tratteggiare ancora una volta a Carlo Cattaneo:

Non conosciamo ancora le svariate forme naturali del nostro paese, e nemmeno i nostri dialetti e le riposte loro derivazioni; non conosciamo i secreti nessi che collegano questa lingua nostra alla civiltà precoce della Persia e dell'India, e alla lunga barbarie dell'antico settentrione. Di molte letterature europee non abbiamo trattato alcuno; ci mancano persino i loro dizionari; siamo poveri affatto di cronologie, e delle istorie delle scienze, e d'altri libri che sian fatti per noi, per le cose nostre, e per le nostre menti. E però siamo costretti a giurare sulla fede di libri stranieri, nei quali l'ignoranza e il livore, o la boria nazionale ci cavilla ogni nostro onore... (1842).

Era questa – ci si consenta per una volta l'osservazione polemica – l'invidiabile condizione dell'Italia preunitaria amministrata dai governi legittimi, che oggi da qualche parte ci si vorrebbe far credere felice nonché avviata ad un prospero avvenire: un paese senza grammatiche né vocabolari, senza storie, senza atlanti, senza cioè nessuno degli strumenti elementari per conoscere e capire se stessi e il mondo.

Sulla scena italiana, dunque, si sommano, sostenendosi e rafforzandosi a vicenda, due storiche assenze: quella della politica e quella della cultura. Riunite in un solo blocco esse determinano l'impossibilità di rompere lo *status* ascrittivo, di togliere al meccanismo che determina cosa siamo socialmente a seconda di dove e come nasciamo, il ruolo decisivo nella riproduzione sociale degli individui, così come comanda la modernità. Nei meccanismi di questa, infatti, proprio la politica e la cultura – assai più del semplice sviluppo economico, che in quanto tale può essere al più una premessa – costituiscono i due formidabili principi di movimento – di mobilitazione e di mobilità – che consentono di porre fine all'immobilità «naturale» e autoperpetuantesi del rango – dello *status*, appunto – che impedisce la nascita della socialità a base individuale.

La non avvenuta rottura di cui ora si è detto, questo mancato passaggio tipico della modernità, sono destinati a segnare l'identità italiana: in Italia l'evoluzione storica lungi dal liberare gli individui (e creare la loro socialità), li lascia viceversa per così dire rinchiusi in due strutture tipicamente ascrittive che sono ancora oggi bene al centro del nostro panorama sociale: l'oligarchia e la famiglia.

Il rilievo della dimensione oligarchica è un dato assai antico della vicenda della penisola, in una caratteristica commistione di potere economico, sociale e politico. Risale all'unificazione della penisola medesima sotto Roma, allorché le città italiche si rivelarono terreno ideale per il diffondersi di un vasto e potente sistema gentilizio urbano, destinato a poter sempre contare sull'alleanza con la classe senatoria romana. Il rapporto tra città e oligarchia può essere considerato da allora una costante della storia italiana. Un sistema alquanto analogo di aristocrazie familiari costituì, infatti, la spina dorsale dell'ordinamento comunale, la cui base cosiddetta di massa – è bene non dimenticarlo – numericamente fu sempre assai piccola cosa (a Firenze, alla fine del '400, cioè in uno dei periodi considerati più democratici, i *cives* «abili al Consiglio», vale a dire in possesso del diritto di elettorato attivo e passivo, non ammontavano a più di 3.200-3.500). È proprio nell'ambito della città comunale, peraltro, che ha modo di manifestarsi quella che può essere considerata l'altra faccia in certo senso inevitabile dell'oligarchia e anch'essa non a caso tipica della vita italiana: la situazione fazionale, che ha nei Guelfi e Ghibellini una sorta di paradigma permanente.

Una situazione di tal fatta – il cui atto di nascita è assai spesso connesso a doppie sovranità (il più delle volte straniere) gravanti sulla penisola – è nella sostanza riconducibile, come già osservava il ricordato Muratori, all'estrema mobilità delle alleanze e dei partiti a seconda della dislocazione delle forze in campo che si verificava per antonomasia nell'ambito comunale. Sicché, egli scrive, non solo i meno forti erano sempre legittimati ad aiutarsi «contro i più forti colle aderenze e leghe del contrario partito», ma «qualora altre politiche ragioni, e la vista di maggior guadagno, o la paura di qualche danno perorava in loro cuore, i Guelfi stessi si staccavano dai Papi e i Papi da' Guelfi», fino al punto che «nelle Città libere le famiglie Guelfe, se vi trovavano miglior conto, passavano alla parte Ghibellina, e scambievolmente la Ghibellina alla Guelfa».

È difficile non vedere delineata almeno *in nuce*, in queste parole dell'erudito settecentesco, un'ulteriore fenomenologia connessa a quella oligarchica e a quella fazionale: vale a dire la fenomenologia trasformistica, sulla cui intrinsichezza alla vita sociale italiana è superfluo spendere parole. È sempre precauzione elementare, beninteso, quando si adoperano categorie in sostanza storiche (come sono per l'appunto oligarchia, fazioni, trasformismo) curarsi ogni volta di contestualizzare e circostanziare; ma è anche vero che i meccanismi sociali possiedono una coerenza intima, una loro necessaria sequenzialità, che sembrano consentire legittimamente un trattamento analogico. È questo, ci pare, il caso in questione. In una situazione di permanenza del potere nelle mani di gruppi sociali ristretti che tendono ad autoperpetuarsi, in cui la partita è tra pochi e la tentazione fazionale diviene fisiologica, la ricomposizione trasformistica dei contrasti e lo schierarsi generale con il vincitore del momento assumono l'aspetto di comportamenti in fin dei conti razionali. La fazionalità senza il trasformismo, infatti, determinerebbe rapidamente l'esplosione dall'interno della struttura oligarchica, la quale sarebbe destinata, per proteggersi da rivalità non componibili, a evolvere di necessità verso soluzioni monocratiche di assai incerto esito. Il trasformismo, insomma, si presenta come la conseguenza ma insieme anche come il cemento delle oligarchie: «faceva senso doloroso a molti – annotava nel 1848 un attento osservatore delle vicende del Consiglio di Guerra istituito a Milano dopo le Cinque giornate – l'identità del nome, fra parecchi di coloro che mettevano le mani sul potere, e coloro che nel fatale interregno del 1814 ci avevano fatti servi dell'Austria». Alla testa della città, insomma, prima o dopo la rivoluzione erano sempre i medesimi, o per essere più precisi le medesime famiglie («l'identità del nome»).

L'oligarchia italiana, infatti, è sempre un'oligarchia di famiglie, fa corpo con la struttura familiare, confermando l'assoluta centralità di tale struttura nel panorama sociale della penisola. Si può anzi dire che l'oligarchia non sia altro, in un certo senso, che la prosecuzione coerente sul terreno del potere di una società articolata in famiglie.

Nell'enorme rilievo che ha in Italia la famiglia è facile ravvisare il sovrapporsi, ancora una volta, della duplice eredità romana e cristiana: il familismo latino, con la sua teorizzazione della preminente autorità giuridica del *pater familias*, fu rafforzato non poco sul piano culturale e dell'immaginario dal simbolismo evangelico, articolato sulle figure del Padre, dei figli e dei fratelli, con il relativo obbligo dell'amore reciproco.

Ciò che soprattutto ci interessa richiamare, però, è la specifica concezione della famiglia fatta propria dai romani: «iure proprio familian dicimus – afferma Ulpiano nel *Digesto* – plures personas, quae sunt sub unius potestate aut natura aut iure subiectae». «Plures personas», «molte persone soggette in forza di un vincolo naturale o giuridico alla potestà di uno solo»: la famiglia romana dunque, lungi dall'identificarsi con la famiglia monogamica, si presenta piuttosto come un insieme di individui legati tra di loro e riuniti sotto l'autorità di un capo. È un tale modello, rafforzato dall'influsso longobardo e cristiano, che mette radici nella società italiana: il modello di un piccolo gruppo sociale, coeso, legato da vincoli di fedeltà personale che affondano, o trapassano, nella consanguineità di vario livello, fino al padrinaggio o al semplice patronage.

In un contesto giuridico, ma non solo, reso tradizionalmente incerto dalla storica latitanza di una forte autorità statale, nonché da un'accentuata frantumazione della sovranità, il piccolo gruppo coeso di cui la famiglia è il prototipo e l'esempio massimo si rivela, per l'individuo, una sorta di struttura di servizio tuttofare di enorme valore, che conserverà tale caratteristica nei contesti più diversi e fino ai giorni nostri.

Nel quadro italiano la famiglia dà le massime prove di sé anche in campo economico. Dalle attività bancarie che nel Medio Evo portano il nome dei toscani, dei lombardi e dei genovesi nel mondo, alla mezzadria, alla piccola-media impresa moderna di cui la penisola è attualmente così fertile, la struttura familiar-parentale sembra costituire la dimensione nella quale l'estro, lo spirito d'intrapresa degli italiani, la loro capacità di lavoro e di organizzazione, sono capaci di dare i migliori risultati. In Italia anche il capitalismo, com'è noto, ha teso a privilegiare in modo deciso una prospettiva familiare, ad esempio mantenendo in un contesto familiare la proprietà anche delle grandi imprese: non è un caso se il controllo del più potente gruppo privato del paese – la Fiat – sia ancora oggi, ad un secolo dalla sua nascita, nelle mani della stessa famiglia che lo tenne a battesimo.

La famiglia rappresenta quello che potrebbe essere definito il massimo spazio vocazionale dell'agire collettivo italiano, che in questo si adegua certo ad un modello diffuso in tutto il bacino mediterraneo, ma con una multiformità e vastità di applicazione altrove sconosciute. Se devono muoversi insieme ad altri, insomma, gli italiani preferiscono farlo nell'ambito familiare o comunque in un gruppo ristretto che ricordi la famiglia.

È in questa dimensione, della famiglia, della banda, della squadra, che è evidentemente al riparo dall'astrattezza dei rapporti formali, tipica delle grandi organizzazioni, che essi si sentono in genere sollecitati a dare il meglio di sé, probabilmente trovando in quella dimensione l'equilibrio più appropriato e congeniale tra il principio gerarchico da un lato e la preservazione dell'individualità dall'altro. Non bisogna dimenticare, inoltre che in una società come quella italiana, storicamente caratterizzata da frequenti e diffuse situazioni d'incertezza giuridico-politica, solo la piccola dimensione si rivela in grado di garantire due risorse preziose come la riservatezza, e insieme la fiducia, utilissime a prescindere dalla natura dell'impiego che di esse può farsi, e che è determinato, come si capisce, dagli scopi dell'organizzazione. Riservatezza e fiducia a base personale che, oltre che nella dimensione della famiglia e del piccolo gruppo, la società italiana, nel corso delle sue vicende, ha trovato in altre due strutture e modelli di tipo associativo – l'oligarchia e la corporazione – non a caso singolarmente predisposti ad integrarsi assai bene con la famiglia, con i suoi principi, con il suo spirito, e al tempo stesso simili per più versi ad essa.

La straordinaria capacità di combinazione e di adattamento dimostrata per secoli in Italia da queste tre strutture – la famiglia, l'oligarchia, la corporazione – illustra aspetti decisivi dell'identità della penisola, radicate predisposizioni storiche della società italiana. Testimonia in particolare del peculiare rapporto che questa è venuta maturando nel corso delle sue vicende con la categoria della norma da un lato, e con la politica dall'altro. Famiglia, oligarchia, corporazione hanno in comune, pur in forme diversissime, la caratteristica di costituire altrettante fonti normative autonome, in grado di definire e legittimare con la propria autorità comportamenti e valori (nonché al caso di comminare sanzioni); ma di essere fonti normative per così dire vocazionalmente settoriali, legate a universi e situazioni particolari dei singoli individui. Nulla a che fare, dunque, con quella fonte normativa di ambito generalissimo che è la legge moderna, traente la propria legittimità dall'autorità sovrana dello Stato. La forza della struttura familiare-oligarchico-corporativa dipende, e insieme testimonia, del maggior valore che la società italiana è storicamente disposta ad attribuire alle norme di quel tipo, ed emanate in quell'ambito, anziché a quelle di derivazione statale. In altre parole, sembra esservi nella società italiana una riluttanza, fortissimamente introiettata dalla mentalità collettiva, ad accettare come vincolante tutto ciò che non sia specificamente incardinato nell'orizzonte di vita degli individui, nei loro legami e nei loro sentimenti o bisogni. Quanto trascende l'orizzonte individuale, e cerca la propria giustificazione fuori di esso, quanto tenta di legittimarsi in base a tavole di valori generali nonché di incarnarsi in istituzioni anonime nel senso proprio della parola, stenta molto a fare corpo con l'identità italiana quale la storia l'ha fatta.

Accade così che il localismo – già tanto presente e fiorente nella vita del paese – allarghi e rafforzi ulteriormen-te i suoi effetti grazie al potenziamento della frammen-tazione geografico-territoriale (e all'esaltazione della stessa) dovuta alla ancor più pervadente frammentazione sociale e direi perfino morale che opera la struttura familiare-oligarchica-corporativa: come se ogni individuo divenis-se in tal modo quasi un luogo a parte, con valori e norme tendenzialmente fatte e valide per lui solo.

In conseguenza di ciò l'Italia, dunque, sarà terra di individui come poche altre. In fama addirittura di essere dominata fino all'estremo dall'individualismo, quasi una sua patria elettiva: ma terra di individui che avranno grande difficoltà ad essere cittadini, cioè – come aveva visto Leopardi – a conquistare quella dimensione essen-ziale della modernità, fatta di eguaglianza delle occasioni e delle opportunità, di libera contesa delle opinioni, di dipendenza dalla stima disinteressata altrui, in cui Leo-pardi stesso faceva consistere la «società». Il fatto è che perché ciò accada, perché l'individuo possa trapassare ed integrarsi nel cittadino, perché la formazione della perso-nalità possa farsi nel quadro di un ampio «uso scambie-vole» degli esseri umani, è necessaria la presenza dello Stato. È necessaria la presenza cioè di quello che è il referente naturale ed obbligato della cittadinanza di cui sopra e del relativo impegno civico, nonché l'unica istitu-zione che grazie ai propri mezzi sia in grado di fornire una garanzia decisiva degli interessi dei singoli e della sicurezza cui essi giustamente aspirano, completando e perfezionando in tal modo le garanzie assicurate dalla struttura familiare-oligarchica-corporativa (facendo quan-do è il caso le veci di questa). La quale struttura è desti-nata altrimenti a rimanere l'unico orizzonte possibile della socializzazione e dell'acculturazione degli individui.

Anche da questo punto di vista lo Stato, insomma, si conferma come il grande assente della scena italiana. Ma arrivare a tale conclusione, al termine delle osservazioni sin qui fatte, non vuol dire – dovrebbe essere chiaro – attribuire la colpa di tale assenza in modo quasi meccanico al familismo e al particolarismo di cui si è detto, insieme facendoli assurgere quasi a riassunto di tutte le arretratezze storiche italiane. Non vuol dire, cioè, avallare ad occhi chiusi lo stereotipo dell'instrinseca natura amorale del familismo e del suo contrasto radicale, unito al particolarismo, rispetto a qualsiasi cultura civica; uno stereotipo che da qualche decennio ha guadagnato rapidi consensi specie negli studi sociologici d'ispirazione anglosassone (basterà ricordare i nomi di Banfield e di Putnam), pretendendo di spiegare così perché l'Italia non è un paese moderno come gli altri.

Giustamente si è obiettato a tale spiegazione monocausale che essa non tiene conto di un gran numero di fatti. Per citarne solo due: che non è vero che oggi in Italia, rispetto al resto dell'Europa, si riponga un'abnorme fiducia nella famiglia o che tale fiducia – come da molte parti si ripete – sia più diffusa al Sud che al Nord; e che non è suffragata da alcuna prova l'esistenza di una contrapposizione effettiva tra localismo e modernità. Il nodo della questione, invece – come ci avvertono i sociologi cui si devono le obiezioni ora riportate – sembra essere un altro, e cioè che se è vero che nell'Italia attuale si può benissimo essere familisti e moderni, localisti e ispirati alla più adamantina coscienza civile, tuttavia è disgraziatamente anche vero che si può essere le due cose (cioè moderni e orientati al civismo) senza tuttavia sentirsi per nulla italiani, vale a dire senza provare la minima identificazione con le istituzioni e con il sistema politico del paese.

Non va dimenticato, tuttavia, che queste considerazioni fotografano la situazione di oggi. Del problema storico che vi è dietro non ci dicono molto. In realtà, rispetto a quanto sembrava emergere nelle pagine precedenti, il problema appare non già annullarsi quanto soprattutto mutare nella sequenza dei propri dati. Si può, insomma accettare senz'altro che il binomio familismo-particolarismo da solo – ma già il discorso sarebbe forse diverso se insieme ad esso si considerasse anche il binomio oligarchia-corporazione, come a me sembra storicamente se non concettualmente giusto fare – si può accettare, dicevo, che il binomio familismo-particolarismo non possa essere posto in una relazione di causa/effetto con gli aspetti (attuali) della (attuale) non modernità italiana. Resta il fatto, però, che deve pur essere successo qualcosa nelle vicende del passato che ha impedito l'orientamento allo Stato, ovvero l'integrazione nelle sue maglie culturali e istituzionali, del familismo, del localismo e degli altri modelli di azione e di organizzazione collettive ad essi connessi. Ci deve pur essere stato storicamente qualcosa che ha prodotto in Italia questo scollamento, questo iato così difficilmente colmabile, tra vita sociale dei singoli e delle comunità da un lato, e lo Stato politico nazionale dall'altro.

Di cosa si è trattato? Quale fattore ha reso irrisolubile l'equazione della modernità italiana? Naturalmente, si può addossare ogni responsabilità ai limiti e alle contraddizioni della storia dello Stato in Italia; si possono evocare le oggettive difficoltà (interne ed esterne alla penisola) del suo sviluppo, per non dire dei limiti d'iniziativa e di organizzazione dello Stato italiano effettivamente esistente, cioè quello fondato nel 1861. Si può fare tutto ciò (e si deve, anzi, dal momento che si tratta di fenomeni veri), ma alla fine si ripropone sempre la domanda: a cosa far risalire a loro volta limiti e contraddizioni della statualità italiana se non all'ambiente sociale nel quale essa vide la luce e fu costretta a muoversi? È dunque inevitabile tornare sempre a quel punto: ai modelli d'azione e di organizzazione collettivi che la società italiana aveva storicamente prodotto, e al tipo di personalità individuale che era ad essi connaturata. È giocoforza cioè tornare ad evocare il familismo, la propensione oligarchico-corporativa, lo specifico individualismo, che abbiamo visto occupare un posto così centrale nella nostra esperienza storica. È vero che il particolarismo non può essere considerato di per sé un residuo premoderno e che esso, in quanto tale, non è sintomo di alcuna arretratezza. Il guaio del particolarismo è un altro: è di essere particolaristico, tanto più se è rafforzato da fenomeni di segno concomitante. In Italia la dimensione moderna dello Stato rappresentata dallo Stato unitario ha trovato per l'appunto un limite invalicabile nei tenaci modi d'essere della socialità della penisola, incardinati nei diversi particolarismi, in quello geografico come in quelli socioculturali.

Nell'unificazione e nei suoi processi si è rispecchiato in maniera esemplare il rapporto con la politica della tradizionale socialità italiana imperniata sulla triade famiglia-oligarchia-corporazione; e tanto più ciò è accaduto quanto più l'unificazione, almeno potenzialmente, sembrava mettere in questione proprio il particolarismo urbano-centrico che costituiva insieme l'esito e la premessa della socialità di cui sopra.

Anche quando, a partire dalla fine del '700, ed ancor più nel corso del secolo seguente, la politica comincia a coinvolgere in modo significativo la società cittadina, ciò non sembra aver mutato granché i suoi comportamenti, le sue gerarchie e i suoi meccanismi tradizionali ispirati anche nei ceti borghesi o protoborghesi al modello nobiliare. «I casini italiani – annota un rapporto della polizia politica austriaca a Milano nei primi anni della Restaurazione – sono cose diverse dai circoli tedeschi o inglesi, che sono in realtà riunioni politiche, pericolose e tumultuose. In Italia non si riceve in casa la sera in grande stile, né esiste una socialità familiare allargata. Per questo vengono istituiti i casini: per divertirsi la sera senza vincoli.

Nei casini, si scherza, si gioca, talvolta si fuma, e ci si intrattiene come meglio si crede. I casini sono luoghi d'espressione della voglia di scherzáre, così tipica del carattere degli italiani.»

Tranne casi abbastanza rari, questa socialità ricreativa, propria degli aristocratici, viene riprodotta anche dai borghesi, e la mobilitazione ideologico-politica non sembra capace di apportarvi mutamenti di rilievo. L'omogeneità sociale e di rango si dimostra capace di prevenire qualsivoglia drammatica rottura in nome dei principi, come del resto è naturale che accada dal momento che anche la socialità borghese è una socialità che «si sgrana quasi naturalmente in un ventaglio di famiglie, molto più che in una miscela di individui» (parole, si badi, che non riguardano una qualche cittadina del profondo Sud bensì la Milano ottocentesca studiata da Marco Meriggi). Il familismo, infatti, è un elemento portante anche della socialità borghese, salvo il caso (raro) di quella di carattere culturale. La cultura, insomma – come già si è sostenuto in queste pagine poco sopra – si conferma uno dei tramiti più incisivi di individualizzazione, una premessa forte per quella «vocazione libera e volontaria» in cui per molti aspetti consiste la modernità (ma una premessa destinata anche nei decenni successivi a non essere molto diffusa nella penisola, se è vero che ancora nel 1961, un secolo dopo l'unità del paese, il 76,7 della popolazione non aveva alcun titolo di studio o al più la sola licenza elementare). Anche la socialità borghese, infine, nasce in Italia riprendendo il contenuto oligarchico di quella aristocratica, al più limitandosi a tradurlo nei termini all'apparenza aggiornati del notabilato. Tutto sembra indicare, insomma come in Italia vi sia stata una complessiva forte subalternità del modello borghese a quello nobiliare, una continuità, un osmotico travaso dall'uno all'altro, di cui potrebbe essere considerato quasi il simbolo la corsa al titolo nobiliare, verificatasi ben addentro al ventesimo secolo, da parte perfino di borghesissimi capitani d'industria.

Nell'ambito, insomma, dei cento orizzonti cittadini, aristocrazia e borghesia italiane si sono integrate e compattate pressoché perfettamente nella dimensione oligarchico-notabiliare, facente corpo con la centralità della famiglia: imitate, nella miriade di centri minori e minimi della penisola, dai loro omologhi locali o da gruppi ristretti di famiglie di possidenti, di professionisti o di commercianti, comunque eminenti nel paesaggio sociale circostante. Chi conosce l'Italia sa, peraltro, che l'organizzazione di tipo sostanzialmente notabiliare della classe dirigente non è venuta certo meno dopo d'allora. Ancora oggi nella penisola i partiti ed i sindacati, l'industria, la cultura, l'informazione, presentano in genere, ai propri vertici, gruppi di comando di tipo fortemente notabiliare, vale a dire cooptati assai più che eletti o designati attraverso l'accertamento del merito, spesso in legami familiari tra di loro, utilizzati a vita per incarichi talora i più diversi. In Italia, perfino un partito che nel nome si diceva comunista è stato, come pochi, un partito di «grandi famiglie», dove la parentela ed il rango sociale non sono mai stati considerati fatti trascurabili.

È a questo insieme di cause che si deve se l'Italia è un paese afflitto, come dicono i sociologi, da «rilevanti fenomeni di ereditarietà sociale» (dove ad esempio i figli di imprenditori, liberi professionisti e dirigenti posseggono oggi in media, possibilità di permanere nelle privilegiate posizioni dei loro padri quasi 15 volte superiori a quelle dei soggetti provenienti da altre classi) o da un tasso d'immobilità di carriera che non ha confronto fuori dai nostri confini (sono pochissime, cioè, le persone che nei vari lavori riescono a salire dai livelli inferiori a quelli superiori).

Del resto, dove l'individuo appare così strettamente inserito in strutture superindividuali è difficile che possano prendere piede idee e prassi di tipo realmente competitivo. Quel che è sicuro è che l'identità italiana si è costruita nel corso dei secoli precisamente sul rifiuto di idee e prassi del genere; la vocazione maturata storicamente nel paese è un'altra: è quella dello scambio e dell'accordo, anche come necessario contrappeso al potenziale di violenza distruttiva contenuto nello spirito di fazione che fisiologicamente pervade le strutture superindividuali. Certo, grazie a tale vocazione risulta quasi impossibile – specie nel giro della vita di una sola persona – ottenere moltissimo e vincere l'intera posta; in compenso, però, risulta ancora più difficile perdere tutto. Al fondo di questa concezione secondo la quale, in sostanza, si vince e si perde legittimamente solo in gruppo (e per capirne la vastità di orizzonti, si pensi alle scolaresche italiane, dalle quali uno di loro che si rifiuti di far copiare il proprio compito in classe non ha neppure una probabilità su un milione di essere considerato un eroico campione delle regole del gioco anziché uno sporco traditore) non è forse del tutto errato scorgere anche il lascito di un'antica umanità e sentirvi qualcosa di cristianamente solidale. Ma mi pare di gran lunga più fondato vedervi l'effetto di una società dalle occasioni limitate, dalle risorse scarse, volta ad impedire che la dura lotta per conquistare le une e le altre possa andare a danno del bene supremo della sicurezza, del prestigio e del rango.

La struttura sociale ora delineata per sommi capi ha avuto, come è ovvio, un'incidenza assai rilevante nel modellare il rapporto dell'Italia con la dimensione della politica, nel determinare gli effetti che tale rapporto ha avuto. O che non ha avuto: a cominciare per esempio dal mancato ruolo della politica ai fini di un'autoidentificazione sociale alternativa a quelle tradizionali. In altre parole, nella generalità dei casi un borghese fascista italiano ha sempre pensato di essere molto più e molto prima un borghese anziché un fascista (con le conseguenze in termini di verità del discorso politico e di tono ideale della vita pubblica che è facile immaginare). Benché importantissima – come in tutte le società povere, dove essa acquista il rango di una risorsa primaria – in Italia, dunque, la politica è stata assai più immediatamente e più costantemente al servizio dei rapporti sociali esistenti (o comunque è stata resa funzionale in vari modi ai meccanismi loro propri) anziché ambire – non parlo di riuscire – a dominarli e influenzarli in maniera significativa e duratura. Sicché se un «uso» massiccio della politica è stato semmai fatto, dai singoli che l'hanno potuto, è stato quello di usarla come chiave di accesso al conferimento di *status* sociali tradizionali (diventare un aristocratico, un borghese, un proprietario, un ricco). E se per avventura è talvolta capitato che per mantenere lo *status* massimamente importante (quello censitario) fosse consigliabile mutare quello della nascita, l'antica scaltrezza notabiliare non si è tirata certo indietro: era sempre a portata di mano lo stratagemma di cui racconta il solito Muratori a proposito della Firenze medievale sotto il governo delle Arti, allorché non pochi Nobili che «ansiosamente aspiravano a i pubblici Uffizi ed onori, né altra via scorgevano per ottenere l'intento loro» «usarono di far scrivere il loro nome nelle stesse Arti (…) e così annoverati tra gli Artisti divenivano capaci de' pubblici impieghi, riuscendo poi loro, con questa dimostrazione d'onore e di stima per la Plebe, di padroneggiare sopra i suoi Padroni».

## Notazioni bibliografiche

Il brano di G. Jervis è tratto da *Sopravvivere al millennio*, Milano, Garzanti, 1995, pp. 58-59.

Naturalmente una delle primissime cose da leggere, sul «carattere» degli italiani, è il bel libro di G. Bollati, *L'italiano. Il carattere nazionale come storia e come invenzione*, Torino, Einaudi, 1983.

Il brano di Giacomo Leopardi è tratto da *Nuovo discorso sugli italiani*, edizione a cura di F. Ferrucci, Milano, Mondadori, 1993, pp. 103 ss.: un'edizione che si segnala per le acute, talora acutissime osservazioni del curatore e la sua lunga introduzione; quello di Niccolò Machiavelli da *Discorsi sulla prima deca di Tito Livio, LV*, in *Tutte le Opere di Niccolò Machiavelli*, a cura di F. Flora e C. Cordiè, Milano, Mondadori, 1949, vol. I, p. 212; le citazioni di Pietro Verri da U. Cerroni, *Il pensiero politico italiano*, Roma, Newton, 1995, p. 59.

Le percentuali sull'analfabetismo italiano ed europeo in C.M. Cipolla, *Literacy and Development in the West*, London, Pelican Books, 1969, p. 115; sulla decadenza delle università e sulla situazione della cultura in generale, L. Perini, *Editori e potere in Italia dalla fine del secolo XV all'Unità*, in *Storia d'Italia Einaudi. Annali, 4, Intellettuali e potere*, Torino, Einaudi, 1981, pp. 765-853; M. Roggero, *Professori e studenti nelle Università tra crisi e riforme, ibidem*, pp. 1039-1081.

I dati sull'elettorato attivo e passivo a Firenze in S. Bertelli, *Il potere oligarchico nello stato-città medioevale*, Firenze, La Nuova Italia, 1978, p. 7.

Il brano di C. Cattaneo è in *Le più belle pagine scelte da Gaetano Salvemini*, Roma, Donzelli, 1993, p. 127. La seconda citazione a proposito delle 5 giornate da M. Meriggi, *Milano borghese*, Venezia, Marsilio, 1992, p. 149. Sulla forza dell'oligarchia nell'Italia pre-romana e romana, M. Pallottino, *Storia della prima Italia*, Milano, Rusconi, 1994, p. 176.

Le citazioni di L.A. Muratori in Silvia Grassi, *Città e identità nazionale nelle «Dissertazioni» di L.A. Muratori*, in *La mémoire de la cité. Modèles antiques et réalisations renaissantes*, a cura di A. Bartoli Langeli e G. Chaix, Napoli, ESI, 1997, pp. 245-289.

La citazione di Ulpiano in E. Sereni, *Agricoltura e mondo rurale*, in *Storia d'Italia Einaudi*, vol. I, Torino, Einaudi, 1972, p. 141.

Per le considerazioni sul rapporto familismo-arretratezza-spirito civico ho tenuto presente E.C. Banfield, *Una comunità del Mezzogiorno*, Bologna, Il Mulino, 1961, ripubblicato con il titolo, che riprende quello originario inglese, *Le basi morali di una società arretrata*, a cura di D. De Masi, Bologna, Il Mulino, 1976, con interventi significativi nel dibattito suscitato dalla prima edizione, R.D. Putnam, *La tradizione civica delle regioni italiane*, Milano, Mondadori, 1993; L. Sciolla, *Italiani. Stereotipi di casa nostra*, Bologna, Il Mulino, 1997; M. Barbagli

111

e A. Schizzerotto, *Classi non caste. Mobilità tra generazioni e opportunità di carriera in Italia*, in «il Mulino», n. 3, 1997. Sul localismo, R. Romanelli, *Le radici storiche del localismo italiano*, in «il Mulino», n. 4, 1991.

Il rapporto della polizia austriaca è in M. Meriggi, *Milano borghese*, cit., pp. 53-54, dal quale sono tratte anche le altre citazioni circa la socialità aristocratica e quella borghese.

# Capitolo quinto

# L'assenza storica di Stato

Con ogni probabilità, nel corso degli ultimi secoli nessun aspetto dell'immagine dell'Italia, dell'identità italiana, è stato – e continua ad essere – oggetto di un giudizio negativo da parte sia degli stranieri che degli italiani stessi come quello rappresentato dalla duplice dimensione dello Stato e della politica: e si tratta di un giudizio che, naturalmente, finisce per coinvolgere l'intera società, gli uomini e la storia che hanno visto la luce nella penisola. Nulla come il modo qui affermatosi di intendere e di vivere l'organizzazione pubblica dell'esistenza collettiva (lo Stato e la politica, appunto) ha diffuso, fuori e dentro i confini d'Italia, un'idea altrettanto sfiduciata e pessimistica circa alcune caratteristiche anche umane e per così dire antropologiche, circa il «carattere», degli italiani. Nessun altro tratto della nostra identità ha fornito argomenti altrettanto convincenti e numerosi per fondare e divulgare un'immagine dell'Italia e della sua vicenda dominata dall'inadeguatezza, segnata da una radicale insufficienza. «Gli italiani non sono capaci di governarsi», «in Italia non funziona mai nulla», «governare l'Italia non è difficile, è inutile»: ecco le formule più consuete che ognuno ha mille volte udito (e mille volte ha probabilmente lui stesso adoperato) quando il discorso è caduto su questi temi.

Se si vuole capire il meccanismo che ha presieduto (e presiede) alla formazione dell'immagine di cui si sta dicendo, e dunque capire il grado di effettiva verità di questa, nonché il suo significato in termini storici generali, bisogna pensare innanzi tutto al fatto che in nessun ambito come in questo – dello Stato e della politica – l'identità italiana è stata (ed è tuttora) fabbricata e concettualizzata sulla base di un confronto. Il confronto, va da sé, è con il resto d'Europa, in specie con Francia e Inghilterra: nell'immagine italiana il carattere per antonomasia negativo della dimensione statual-politica è tale soprattutto se desunto per comparazione – come quasi sempre infatti avviene. È il paragone con l'Europa che ci abbassa e ci schiaccia, facendo emergere per l'appunto, nella nostra storia, i molti motivi di «ritardo» e di «assenza», i quali poi concorrono a formare la complessiva inadeguatezza italiana nel campo della statualità e della vita collettiva organizzata.

È da chiedersi perché le cose stiano così; perché in nessun ambito come in quello della statualità e della politica l'identità italiana debba sottostare a questo meccanismo di accertamento tutto giocato sulla comparazione, e perché tale comparazione risulti così decisamente, così irrimediabilmente, a nostro danno, conducendo ad un'immagine interamente fondata, come si diceva, su categorie come «ritardo», «assenza», «debolezza», «gracilità» e altre simili, di volta in volta riferite allo Stato unitario, alla borghesia, al liberalismo, alla classe dirigente, al capitalismo, e così via seguitando nella lista delle manchevolezze.

La risposta non è difficile. Nel campo della statualità e della politica soprattutto l'identità italiana è prigioniera di un meccanismo comparativistico perché in tale campo come in nessun altro l'esperienza storica della penisola, a dirla in breve e crudamente, non ha prodotto alcunché di significativo, non ha anticipato, né seguito esemplarmente, né portato al massimo compimento, alcun percorso vuoi ideologico, vuoi sociale, vuoi istituzionale: non ha «inventato» nulla. Ad un bilancio così negativo concorre in maniera determinante il fatto che nel campo della statualità e della vita collettiva organizzata – così come del resto in quello dello sviluppo economico – ma a differenza invece

di qualsiasi altro: dall'arte, all'alimentazione, all'organizzazione del territorio – la modernità ha rappresentato una
frattura, ha acquistato un valore positivo assoluto, toglien-
do valore e senso a tutto ciò che è esistito prima di lei.
Quanto non si trova in armonia con alcuni principi
di base della modernità, dunque, non può aspirare ad
alcuna considerazione: e questo è appunto il caso del-
l'Italia. Essa non ha preso parte in alcun modo alla
nascita ed allo sviluppo della modernità politica-statuale,
ne ha dovuto importare in sostanza tutte le forme senza
riuscire a produrne alcuna; e poiché è solo tale modernità a definire l'ambito del discorso (l'unica identità
statuale-politica possibile è quella moderna, così come
l'unico sviluppo economico possibile è quello moderno) ne segue inevitabilmente che in tale campo l'identità italiana debba per forza, se non altro a fini descrittivi,
sottostare al meccanismo comparatistico di cui sopra,
dominato dal modello anglo-francese, e in tale comparazione riportare la peggio.

Fino a che punto, però, categorie come «assenza»,
«ritardo» o altre possano essere premessa necessaria e
anche sufficiente per un giudizio negativo sull'identità
italiana in questo campo, debbano cioè tradursi automaticamente in un tale giudizio, è questione che bisogna
sforzarsi di tenere distinta: è, come si dice, un altro discorso. A noi, in queste pagine, interessa adoperarle semplicemente come un modo, diciamo così, di concet-
tualizzare in controluce e più facilmente: come un modo
di descrivere per differenza i percorsi seguiti dall'identità
italiana in questo campo. Siamo convinti, tra l'altro, che
la loro utilità risulta tanto maggiore in quanto proprio il
ragionare per confronto e per differenza ha costituito la
via maestra sulla quale si misero fin dall'inizio tutti, o
quasi, quegli italiani – in particolare gli intellettuali – che
pensarono il problema politico dell'Italia o che pensarono politicamente in italiano (secondo un punto di vista,

cioè, modellato dalle vicende della penisola). Non a caso mettendo capo, quasi sempre, ad una visione di tali vicende dominata dal pessimismo.

Il lamento per la condizione politico-statuale della penisola, percepita complessivamente come deficitaria e negativa, è antichissimo. Esso risuona in modo compiuto già nell'opera di Dante, nella sdegnata apostrofe all'Italia di Sordello (*Purgatorio*, VI, 76 ss.), dove appaiono messi a fuoco due tratti fondamentali, in seguito mille e mille volte ripresi, della negatività di cui si è detto: l'assenza nella penisola di quella che con linguaggio attuale diremmo una struttura di comando politico accentrata e quindi efficiente (l'Italia è «nave senza nocchiere», una cavalcatura che «la sella vota» e non è «corretta dalli sproni»), e il divampare selvaggio dei particolarismi e degli odi civili che ciò produce: «e ora in te non stanno sanza guerra/ li vivi tuoi, e l'un l'altro si rode/ di quei ch'un muro ed una fossa serra».

I versi della *Commedia* costituiscono il suggello poetico delle riflessioni annotate da Dante nella *Monarchia*. Nelle pagine di questa prendono corpo definitivo, e per così dire ragionato, alcuni classici stereotipi dell'identità politica italiana e della sua vicenda. Questa appare segnata irrimediabilmente da due tratti: da un lutto e da un abuso. Il lutto è quello per la scomparsa del potere superiore e organante che la penisola aveva avuto la sorte provvidenziale di trovare nell'impero universale di Roma, ma che poi si è dileguato, lasciando per l'appunto il vuoto: è il vuoto di *potestas*, di quel potere monocratico cui incombe di reggere la convivenza umana: «unum oportet esse aliorum regolatorem (...); est igitur Monarchia necessaria mundo» («è necessario che uno solo dia legge agli altri (...); dunque al mondo è necessaria la monarchia»). Quanto all'abuso, esso consiste nella presenza sul suolo della penisola di una sovranità – quella della Chiesa cattolica – che contende il primato alla sovranità civile-monarchica, ed anzi ne ha usurpato la prerogativa istituendosi come sovranità temporale.

Sulla base di questi e di altri motivi in Dante prende altresì forma, in qualche modo, l'idea di un'incombente o già avvenuta *finis Italiae*, di un declino che sembra avere in sé qualcosa di storicamente ineluttabile nel momento stesso in cui la penisola non ha potuto più essere parte dell'impero di Roma. Alle spalle dell'Italia e delle sue fortune nel presente si leva così l'ombra schiacciante di un passato troppo grande e troppo lontano per essere recuperabile, ma anche troppo vicino e troppo presente per poter essere dimenticato. Roma e il suo dominio si avviano in questo modo ad essere «il passato che non passa» degli italiani, specie degli intellettuali italiani, che ancora di più lo sentiranno tale dopo che l'Umanesimo offrirà la riconferma dell'enorme prestigio della cultura classica.

È a questo nesso tra retaggio imperiale, mito di Roma, cultura classica e civiltà letteraria italiana, che va fatto risalire uno dei tratti più singolari dell'identità storico-politica italiana, vale a dire il posto assolutamente centrale che nella formazione di tale identità, nella discussione intorno ad essa, nell'elaborazione della sua vicenda, hanno occupato – si può dire fino ad oggi – gli intellettuali letterati e la loro produzione. Il fatto è che proprio il nesso appena evocato, proprio il riferimento al passato romano e alla cultura classica come imprescindibile metro di definizione dello spessore storico-politico italiano, valgono a porre automaticamente l'intellettuale letterato nella condizione di interprete e giudice privilegiato anche del presente. Nessun altro come lui conosce la vicenda e la cultura di Roma, nessun altro ne ripete in certo senso in se stesso i valori, e perciò, custodendo il rapporto dell'identità italiana con il suo passato, nessun altro come lui ne rappresenta il nucleo più autentico ed è in grado di dargli voce.

Inevitabilmente, infine, questo intellettuale letterato

117

sarà un moralista. Ancora una volta è l'immenso Dante che inventa ed anima il prototipo: il moralismo è il portato diretto della prospettiva all'insegna del declino entro la quale la storia d'Italia viene fatalmente a trovarsi iscritta una volta che ne è concettualizzata la sua derivazione da Roma. Declino che, profondamente connesso com'è alla scomparsa della *potestas*, non può che dare luogo alla discordia rissosa del particolarismo, al disordine, alla guerra civile. In questo modo di vedere le cose il declino storico-politico d'Italia immediatamente si trasforma e fa tutt'uno con la disgregazione del suo tessuto civile la quale, a propria volta, è destinata ad aggravare, e per così dire a suggellare, il declino medesimo. Dante fonda il modello che vuole perlopiù inseparabili la riflessione storico-politica sulla penisola e la rampogna della «corruttela» italiana. A cominciare da lui, ed anche grazie a lui, si afferma una curvatura singolarissima – che a quel che si sa non è dato riscontrare in alcun altro paese europeo – secondo la quale il problema politico-statuale italiano sarebbe in sostanza omologabile – ed è di fatto continuamente omologato – ad una vera e propria «questione morale». Donde, poi, l'ovvia invocazione ad una «riforma intellettuale e morale» degli italiani vista come la premessa e insieme l'effetto necessari di ogni soluzione che voglia essere realmente tale del problema italiano stesso.

Da Petrarca a Machiavelli, da Alfieri a Gobetti, da Manzoni a Pasolini, si dispiega per secoli, sulle orme di Dante, l'egemonia degli intellettuali letterati sul discorso storico-politico italiano, e la fortissima presenza, al suo interno, di questo punto di vista moraleggiante a carico dell'«Italia» e degli «italiani». Si tratta, tra l'altro, di un discorso che finisce inevitabilmente per fare grandissimo spazio al tema dell'«assenza», ed è proprio questa la caratteristica, mi pare, che gli ha assicurato un'incredibile capacità di durata nel tempo. Il tema dell'assenza, infatti, è per sua natura spendibile tanto verso il passato quanto verso il presente (e quindi il futuro). Dall'epoca pre-moderna tutta rivolta, sulla base di un'immagine ipervalutativa del passato antico, a rimpiangere l'assenza nella penisola di *potestas* e di impero, la scomparsa delle antiche «virtù» romane, fino all'epoca moderna, volta a lamentare, invece, l'assenza di borghesia, o di rivoluzione o di sviluppo industriale, il discorso è in grado, come si vede, di mutare del tutto i propri contenuti, conservando però la medesima struttura formale. Adottandolo, dunque, gli intellettuali letterati italiani hanno potuto sentirsi facilmente parte di una tradizione. Essi sono stati in grado di disporre di un'interpretazione – com'è per l'appunto quella costruita sull'assenza in quanto chiave esplicativa – applicabile in pratica ad ogni circostanza e in ogni tempo, mutevole a piacere nel merito, ma che, consentendo di tenere comunque ben fermo un nesso tra l'assenza evocata di volta in volta e un disvalore etico (sua premessa o effetto), è servita a ribadire la necessaria funzione del «moralismo» degli intellettuali e per questa via il loro ruolo.

Ritornando all'analisi di Dante e all'assenza nella penisola di un potere monocratico superiore, saranno tuttavia necessarie le guerre d'Italia di Carlo VIII e la conseguente rovina del sistema degli Stati italiani stabilitosi a suo tempo dopo la pace di Lodi (1454) sarà necessario il grande conflitto cinquecentesco tra Francia e Spagna – che mette sotto gli occhi di tutti di quale misura e natura siano ormai gli attori che contano sulla scena internazionale – ci vorrà tutto ciò perché il sogno di un potere italiano unico cominci a divenire davvero il centro di un sentimento diffuso, seppure entro ristrette élite. È noto come le ultime pagine del *Principe* machiavelliano si chiudano, per l'appunto, con l'immagine di un'Italia «sanza capo, sanza ordine, battuta, spogliata, lacera, corsa», e perciò «tutta pronta e disposta a seguire una bandiera,

119

pur che ci sia uno che la pigli», tutta in attesa di «uno suo redentore». Tuttavia, come si sa, un'aspirazione unitaria propriamente detta ed operante poté cominciare ad esistere, benché ancora minoritaria, solo tra la fine del '700 e l'inizio del secolo successivo. Viceversa, l'idea, ricordata sopra sempre a proposito di Dante, della sovranità temporale della Chiesa come causa principale, se non unica, di una specifica minorità politica italiana – suscettibile di assumere molti volti: dalla mancanza di una monarchia nazionale alla pronta disponibilità a ricorrere all'ingerenza straniera – tale idea cominciò ad avere larghissima diffusione fin dal Medio Evo. Rafforzata grandemente dalla moderna secolarizzazione nonché dall'immagine che l'egemonia culturale liberale e protestante diede del cattolicesimo e del papato nell'Europa ottocentesca, e infine rilanciata in grande stile durante il Risorgimento, tale idea è divenuta uno stereotipo di per sé: specchio di un'ovvia verità, come tutti gli stereotipi a loro modo sono, da cui non manca di farsi discendere un altrettanto ovvio discredito a carico della Chiesa. Ancora nel 1995, in due libri sulla storia italiana postbellica usciti in Inghilterra, si poteva leggere – a riprova della forza e della continuità nel tempo di questa immagine dell'identità politica italiana – che «il Vaticano» sarebbe «responsabile di alcuni dei peggiori aspetti dell'Italia moderna», nonché «la causa prima della debolezza dello Stato».

Non avrebbe senso, naturalmente, sminuire la forte influenza negativa che la presenza della Santa Sede ha avuto su qualsiasi ipotesi di unità politica della penisola: ne parleremo tra un momento. È però interessante osservare, preliminarmente, come esista con ogni evidenza un nesso strettissimo non solo tra il carattere proprio di tale presenza e l'atteggiamento tipico degli intellettuali italiani richiamato nelle pagine precedenti, ma in generale tra il ruolo centrale avuto da questi nell'elaborazione del problema politico-statuale dell'Italia e la presenza dell'istituzione ecclesiastica. La costante, tendenziale, riduzione del problema storico-politico della penisola ad una «questione morale» e/o ad una questione di «carattere», il concepire se stessi, in quanto colti, come rappresentanti-interpreti elettivi di un retaggio vincolante del passato e di un interesse generale di tutta la collettività, cos'altro è, infatti, se non la traduzione antagonista sul terreno laico del ruolo della Chiesa e dei suoi sacerdoti, del loro modo di porre le cose? La sistematica commistione di politica e morale, di politica e «carattere» è proprio ciò che essa fa abitualmente, così come vuole la sua natura, terrena e spirituale insieme. Al ruolo politico in vesti etico-religiose della Chiesa, al suo porsi come interprete privilegiata di un lascito di fede, la tradizione degli intellettuali italiani risponde adottando in un certo senso gli stessi criteri ma con contenuti diversi e sostituendo al lascito di fede un lascito culturale. Da questo punto di vista, più che di una tradizione laica in senso proprio bisognerebbe forse dire che si tratta di una tradizione intellettuale d'ispirazione chiesastica ma rovesciata di segno. In tutti i paesi europei, naturalmente, la cultura laica ha avuto un intenso rapporto originario con la cultura cristiana e con la Chiesa, ma solo in Italia, mi pare, la presenza della Santa Sede, con i gravi e complessi problemi di ordine prettamente politico che ne sono derivati per il paese, solo in Italia tale presenza ha spinto la cultura laica a concepirsi come una sorta di antichiesa, ed i suoi intellettuali a contrapporsi a quell'altro corpo organizzato di intellettuali, visti come essenzialmente non nazionali – che sono i chierici.

In realtà, poche vicende storiche come quella del rapporto tra Italia e Santa Sede e dunque, inevitabilmente, tra l'Italia e la Chiesa, manifestano un carattere così drammatico come è proprio del rapporto tra esigenze assai difficilmente conciliabili. Si tratta, cioè, di uno di quei casi – che non poche volte la storia si compiace di apprestare – in cui l'asprezza della contrapposizione sembra dipendere in ben scarsa misura dalla volontà dei protagonisti quanto piuttosto dall'irrimediabile fatalità delle cose. Come si è già avuto modo di dire, tra il V e l'VIII secolo d.c. la disintegrazione dell'Impero romano, insieme alla peculiare posizione geografica della penisola, ebbero l'effetto di portare al più o meno contemporaneo insediamento in Italia di tutti i principali poteri dell'ecumene mediterraneo (europeo e non): i Franchi, cioè la più strutturata compagine romano-barbarica, avviata con Carlo Magno all'egemonia su tutta l'Europa continentale ad occidente dell'Elba; Bisanzio; gli Arabi, e poi i Normanni. È davvero arduo pensare che in una situazione del genere la Chiesa di Roma avrebbe mai potuto costruire la propria indipendenza se avesse rinunciato ad un'autonomia territoriale, a proteggere con una statualità indipendente la propria indipendenza spirituale: non sembra davvero che nell'Europa dei secoli che videro la diffusione del cristianesimo potesse trovare applicazione il principio «libera Chiesa in libero Stato». È questo il punto cruciale che bisogna considerare con animo spregiudicatamente aperto al senso storico. Sebbene sul piano religioso il temporalismo abbia indubbiamente comportato dei prezzi – e non esigui –, appare più che fondato ritenere che la Chiesa d'Occidente è stata in grado di diventare una grande organizzazione religiosa libera e padrona di sé, e quindi che il cattolicesimo è stato in grado a propria volta di alimentarsi liberamente alle proprie fonti spirituali e di alimentare altrettanto liberamente la cultura e lo spirito d'Europa, proprio in virtù del temporalismo. È un fatto che oggi, alla fine del XX secolo, tutte le confessioni cristiane a cominciare dall'Ortodossia che, per ragioni storiche diverse, hanno al loro tempo rifiutato il temporalismo, sembrano ben lungi dal godere di quella vitalità religiosa e di quell'influenza politica in senso lato di cui gode invece il cattolicesimo.

Proprio qui sta il carattere drammatico, come l'ho definito sopra, del rapporto tra l'Italia e la Chiesa (intendendo con questa anche la Santa Sede). Probabilmente, infatti, si deve solo alla circostanza di avere la propria sede in Italia, cioè in un paese rimasto così a lungo privo di unità statale (e che essa ha contribuito non poco a lasciare tale) se la Chiesa cattolica è stata in grado di costituire ed alimentare la sua indipendenza di fronte allo Stato ed alla società, e dunque acquisire la premessa necessaria per la sua universalità. Gli italiani hanno pagato per tutto ciò il prezzo assai rilevante di trovarsi sbarrata la strada di un loro proprio progetto statual-nazionale e di non poter avere, a sostegno di tale progetto, unico paese europeo, lo strumento prezioso di una Chiesa nazionale. Solo in piccola parte ne sono stati risarciti con il fatto di essere stati chiamati numerosi a partecipare al governo della Chiesa, sicché può dirsi, come scriveva con la consueta lucidità Giacomo Leopardi in una pagina dello *Zibaldone*, che «il credito, l'influenza, e l'importanza del Papa e della Corte di Roma, contribuirono grandemente, e forse, massime in certi tempi, principalmente, a tener l'Italia in azione, a darle campo di esercitarsi nella politica e negli affari, materia e modo di negoziare, importanza e peso, negoziatori, diplomatici, politici, uomini che ebbero parte attiva negli avvenimenti e nei destini d'Europa». Un elemento, questo della secolare intrinsichezza degli italiani con le alte cariche ecclesiastiche, che molto si è riflesso sulla loro immagine (e molto anche su quella della Chiesa) specie ad occhi stranieri, e dunque anche sull'identità italiana in generale.

Il complesso rapporto che la storia ha voluto s'instaurasse tra l'Italia da un lato, e la Santa Sede nonché, inevitabilmente, la Chiesa dall'altro, unendosi a propria volta in modo inestricabile al problema della minorità politica italiana, è stato l'elemento che forse ha più contribuito a modellare l'identità ideologico-politica della penisola.

Al centro di tale complesso rapporto vi sono, come già si è detto, gli intellettuali, gli intellettuali laici i quali, come gruppo sociale, vedono la luce proprio in Italia con l'Umanesimo, e che qui crescono di numero e conquistano rapidamente un ruolo di rilievo anche pubblico, specie grazie al loro impiego presso i poteri politici cittadini, venendo ancora di più – ed anche per tutti questi motivi, oltre che per quelli già enumerati – a trovarsi in una posizione antagonistica rispetto al clero e alla Chiesa. Nella tradizione culturale italiana, tale antagonismo, come ho ricordato, si è perlopiù manifestato nella forma di una concettualizzazione del conflitto con la Santa Sede e con la Chiesa, come un conflitto contro l'antiitalianità e la «corruzione» per antonomasia. Ma non solo. In Italia la posizione profondamente antitemporalistica ed antichiesastica degli intellettuali, unita alla forte influenza su di essi del razionalismo di derivazione umanistica, ha fatto sì che tali intellettuali abbiano finito per espellere in pratica la dimensione religiosa come momento significativo di ispirazione teorico-politica. È accaduto insomma, in Italia, che la predominante istanza antitemporalistica abbia cancellato dal pensiero politico ogni premessa ed elemento di tipo trascendente.

A partire da Machiavelli e da Guicciardini e in tutta la tradizione che da loro prende avvio, arrivando nel cuore del '900 – cioè in tutto il pensiero politico che può essere considerato proprio dell'Italia e che ha massimamente per oggetto l'Italia – il panorama è occupato per intero da una visione integralmente storico-laica del potere, ispirata ad un approccio costantemente e prettamente razionalistico, sulla quale, poi, dopo Vico, s'innesterà una sempre più precisa prospettiva storicistica. Non meraviglia che in tale visione possa esserci posto per un solo protagonista: lo Stato; lo Stato simbolo elettivo della laicità del potere e della potenza della volontà umana libera, macchina sociale organizzabile e pensabile razionalmente come poche altre, orizzonte obbligato della Storia con l'iniziale maiuscola cara ad ogni storicismo. Lo Stato e naturalmente, come suo corollario, la politica, che, compenetrata però con il resto, s'incarna qui in una dimensione specifica che può oscillare dall'*arte* sottile della precettistica cinque-seicentesca ad uso delle corti – in cui gli italiani sono maestri –, alla *scienza* spregiudicata dei rapporti di forza e dello smascheramento realistico, della quale saranno sempre essi i fondatori, tre secoli più tardi, con Mosca e Pareto.

È facile capire che cosa, però, resta assente da questo panorama italiano. Restano assenti i capisaldi attorno ai quali si è venuta storicamente elaborando la teoria e la pratica della politica, che in modo più durevole e fecondo hanno segnato la modernità, che addirittura ne sono divenuti sinonimo.

Restano assenti cioè l'individuo come titolare di diritti naturali, la società civile come espressione originaria e prioritaria della vita collettiva, la concezione dello Stato come frutto in certo senso artificiale e volontario di un contratto, subordinato e non sovraordinato a questa società, infine il parlamento come rappresentanza tendenzialmente sovrana di essa. Restano cioè assenti i materiali storici della moderna lotta contro l'assolutismo nonché quelli che sono serviti a costruire una statualità compatibile con l'individuo, non chiusa entro l'astratta autonomia del «politico» o l'altrettanto astratta brillantezza delle ingegnerie istituzionali.

Nessuno di questi materiali si trova in misura apprezzabile nella tradizione italiana, nell'identità politica-ideologica del paese, e il motivo non è difficile da scoprire: si tratta precisamente di quei materiali che in altri luoghi d'Europa sono stati tratti derivandoli da nient'altro che dal nesso tra politica e ispirazione religiosa. Ma, come detto sopra, è proprio tale nesso che in Italia manca, a causa della forza dell'istanza antitemporalistica che tutto finisce per assorbire e sottomettere. Sarebbe vano cercare in Machiavelli una sola delle tante citazioni della Bibbia che punteggiano un qualunque scritto di Locke. Come si capisce, questo accade, certo, anche perché il cattolicesimo e la sua cultura sono cosa ben diversa dal cristianesimo protestante, e perché nella penisola più che altrove la religione è indisgiungibile dal controllo dottrinale che la Chiesa si premura costantemente di esercitare su di essa fino all'acme dell'aspra intolleranza controriformista. Ma in questo, come in tanti altri casi, individuare la causa di un fenomeno, foss'anche quella più importante, non può significare considerare allora il fenomeno in questione meno carico di conseguenze e di significati. E di conseguenze e significati di rilievo ne ha avuti davvero molti l'espulsione di qualsivoglia premessa religiosa che si ebbe in Italia per ciò che riguarda il pensiero politico nonché la definizione dell'identità ideologica della collettività politica italiana.

Da un lato, come ho detto, quell'espulsione rese impossibile immaginare e tanto più costruire una sfera politico-statuale a partire dai diritti. Dall'altro lato, essa approfondì e ratificò per secoli la separazione tra intellettuali e popolo. Ho adoperato volutamente questa celebre endiadi gramsciana perché proprio Gramsci è stato colui che forse ha più insistito su questo aspetto (a proposito del quale non bisogna pensare solo o tanto ai «grandi» intellettuali – scrittori, poeti ecc. – ma soprattutto, invece, a coloro che, influenzati magari da questi, esercitavano comunque una funzione o una professione di tipo intellettuale). Osservava appunto Gramsci che in Italia, a differenza che in altri paesi europei, non accade che la religione «sia elemento di coesione tra il popolo e gli intellettuali: non si forma cioè alcun blocco nazional-popolare nel campo religioso». Si tratta, è vero, di quanto è più o meno accaduto in tutta l'Europa cattolica, dove in generale la religione non ha offerto alcun motivo di saldatura tra la tradizione colta e quella popolare, e dove anzi la prima si è perlopiù identificata in campo religioso con una linea agnostica se non fortemente anticlericale e tendenzialmente ateistica, ma con una importante differenza. In Francia, Spagna o Austria – vale a dire in tutti gli altri grandi paesi cattolici – la prospettiva politico-ideologica d'ispirazione religiosa che gli intellettuali appaiono ben lungi dal coltivare o seguire, è stata tuttavia fatta propria con decisione dalla monarchia nazionale alla testa di quelle contrade, nonché dal suo Stato unitario, e attraverso le istituzioni monarchico-statali, attraverso i vari momenti anche simbolici della loro esistenza, essa è entrata in rapporto organico come le più vaste masse.

Ciò ha avuto importanti conseguenze: lo Stato ha acquistato una effettiva base popolare, la cultura di tale base ha acquistato a sua volta una certa familiarità con la dimensione della politica statale, con le forme e le esigenze di questa. Dall'altra parte, ancora, il potere pubblico si è vincolato se non altro formalmente ad una scala di valori etici pubblici (quali sono, inevitabilmente, i valori religiosi), mentre le masse hanno accettato l'idea che tali valori possono anche non essere un «imbroglio» a loro danno, bensì un elemento effettivo della loro vita quotidiana. Come si vede, contrariamente ad una certa vulgata storiografica, non è solo il modello rivoluzionario-parlamentare di origine protestante, ma anche quello monarchico-assolutistico di ispirazione cattolica, non è stata solo la confessione cristiana di Calvino, di Lutero o di Knox, ma anche quella di Roma, ad avere avuto parte nella nascita storica della moderna cultura politico-statale in Europa, ad avere aperto la via alla moderna integrazione delle masse nello Stato.

Sfortunatamente, all'Italia è mancato il primo modello ma è mancato pure il secondo. Di fatto, quindi, la separazione tra intellettuali e popolo, per via della loro lontananza sul terreno religioso, ha fatto tutt'uno con quella tra Stato e sudditi realizzatasi a causa specialmente della debolezza estrema con la quale si è presentato nella penisola l'assolutismo.

È questo un altro tassello importante che non è dato di trovare nell'esperienza storica italiana. Dopo la crisi del '500, con circa due terzi del territorio sottoposto al dominio straniero o del Papa, in Italia sembra esserci posto solo per il dispotismo – oligarchico o monocratico – dei vari piccoli o meno piccoli Stati. Nessuna statualità (paradossalmente fatta una qualche eccezione, semmai, proprio per lo Stato della Chiesa) possiede quella massa critica e quel minimo di apertura di orizzonti necessarie per avventurarsi in qualcosa che assomigli al progetto di costruzione di un forte potere centrale o di strutturazione complessiva dello Stato-macchina in funzione della capacità di decisione e di direzione politica; e tanto meno, fino al '700 inoltrato, ci si imbatte da qualche parte in qualcosa che assomigli ad un progetto di riduzione del ruolo socio-politico dell'aristocrazia o di riduzione dell'area del particolarismo. Fanno parzialissima eccezione le terre della Chiesa, come si è detto, dove non mancano i tentativi di razionalizzazione organizzativa, e il Piemonte sabaudo che risente l'influsso della vicina Francia. Ma per l'appunto sono eccezioni, le quali o trovano un invalicabile limite ideologico-politico (è il caso dello Stato della Chiesa), ovvero sono ben lungi, proprio perché eccezioni, dal poter riassumere un indirizzo generale.

È ormai abbastanza chiaro al lettore quale sia stato l'insieme di motivi che nell'Italia moderna hanno determinato l'assenza di quelle spinte alla dinamizzazione politica che altrove hanno avuto modo, invece, di dispiegarsi. Nell'esperienza storica della penisola, così come non vi è stato conflitto politico alcuno di origine religiosa, allo stesso modo si è registrata la radicale esclusione dell'elemento religioso cristiano dalla riflessione delle élite intellettuali sulla società e sulla storia; contemporaneamente non vi è stato spazio di nessun rilievo per la dimensione rappresentata dall'assolutismo. Ciò vale a indicare con sufficiente compiutezza in quale ambito si è prodotta la vera rottura tra l'identità politica italiana e la·modernità: essa si è verificata nell'ambito della ideologia e della costruzione dello Stato. È qui, è a proposito essenzialmente dello Stato, che nell'esperienza storica italiana si è aperto un vuoto che ancora oggi fa sentire i suoi effetti. È lo Stato che è davvero mancato a quell'esperienza. Un vuoto di Stato da intendersi in una misura e in una molteplicità di prospettive che vanno ben oltre – si sarà capito – la tradizionale e sempre lamentata assenza di Stato unitario. La questione in realtà è di ben maggiore ampiezza e profondità: è che nell'esperienza italiana non è dato trovare materiali storici capaci vuoi di dare vita allo Stato come espressione – e dunque anche garante – dei diritti e degli interessi dei singoli, come articolazione generale, per così dire, della sfera dell'individualità, e neppure, d'altra parte, di dare vita allo Stato come rappresentante di un interesse politico collettivo all'ordine e alla potenza, da conseguire grazie ad un'apposita ed efficiente macchina organizzativa.

L'assolutismo che finalmente tenterà di uscire dal guscio verso la metà del XVIII secolo, con i suoi aneliti riformatori, sarà davvero una stagione troppo breve e di frutti troppo scarsi per lasciare qualche deposito significativo nel codice genetico della statualità italiana.

Nel cuore dell'età moderna, dunque, in Italia la dimensione statale viene a poggiare su una sorta di vuoto, a non poter far conto su nessuno di quei principi animatori di ordine politico, organizzativo e ideale che altrove sono all'opera. Il modo degli italiani di pensare la politica ne è toccato alla radice, e nello svolgimento di quel pensiero emerge la contraddizione che era già centrale in Machiavelli. Mi riferisco alla contraddizione tra la capacità del fiorentino di rendersi conto come lo Stato sia ormai divenuto «la più potente istituzione della società moderna», nel concepirlo esattamente «come forza organizzata, sovrano nel suo territorio e che persegue una politica consapevole di ingrandimento nelle sue relazioni con gli altri Stati» (Sabine), nel concepire lo Stato cioè in modo del tutto congruo ai tempi, da un lato, ma dall'altro lato il credere poi che esso più che dai grandi fattori morali, religiosi, economici, sia e possa essere modellato e determinato nella sua azione semplicemente dall'astuzia o dall'inettitudine del principe, dalla «fortuna» e dalla «virtù» padrone assolute, o quasi, di ogni esito possibile delle cose. Nel vuoto su cui poggia la statualità italiana post-rinascimentale questo realismo politicocentrico, così privo di senso della realtà storica diviene un machiavellismo senza Machiavelli, una precettistica di sopravvivenza per ceti dominanti fragili, come sono quelli della penisola, alla quale sembra contrapporsi, come unica alternativa, l'utopismo inerte che copre un'area ideologica assai vasta che dalla cultura della Controriforma arriva a un Tommaso Campanella.

Del vuoto su cui poggia la statualità italiana fa parte, in certo senso, anche l'assenza di grandi fenomeni di conflitto che agitino la società specie nei suoi strati inferiori e ne rompano l'immobilità. In una società premoderna, com'è quella di cui stiamo parlando ciò vuol dire soprattutto assenza del protagonismo sociale da parte dei contadini: ben esemplificata dallo scarso rilievo in Italia di quelle grandi ondate di rivolta che dalla Spagna alla Germania spazzano, viceversa, le campagne europee.

I contadini, in Italia, sono oggetto di uno stretto controllo politico-sociale che risulta tanto più efficace in quanto esso non sembra esercitato in modo primario dall'aristocrazia feudale (secondo il modello classico europeo) bensì dalle città e dalla Chiesa. Si tratta cioè in entrambi i casi di un controllo che – pur poggiando su evidenti rapporti di forza o ad essi direttamente connettendosi – tuttavia affonda le sue radici e le sue ragioni più salde in un terreno culturale. Esso si alimenta del prestigio che circonda l'autorità del Comune nei confronti del contado, nonché della capacità della Chiesa – in specie attraverso la presenza conventuale e gli ordini monastici – di stare vicino alle comunità rurali e, dividendone la vita, di tenerne a bada le punte di ribellione. Nell'Italia medievale e moderna sono semmai i movimenti popolari cittadini, le plebi urbane (dai Vespri di Palermo ai Ciompi fiorentini, da Cola di Rienzo a Masaniello) quelli che creano i maggiori momenti conflittuali, destinati peraltro in genere, anche per il loro carattere circoscritto e circoscrivibile, ad un rapido riassorbimento.

È la piena sottomissione culturale che consegna i contadini, oltre che ad uno stato di irrilevanza politica, ad un vero e proprio discredito antropologico di cui si trova eco amplissima ed assai precoce nel folklore e nel lessico di tutta la penisola: il dispregiativo «villano» per contadino è attestato nella forma di «villanus» fin dal XII secolo.

Comunque, la sostanziale immobilità politica delle campagne italiane è un dato che resisterà fino alla seconda metà dell'800. È essa la responsabile di quella permanenza nel tempo dei rapporti di proprietà e di quella grande, prolungatissima, bonaccia dei rapporti sociali, che sono elementi fondamentali per comprendere il processo di mancato ingresso della penisola nella modernità. Tanto più se s'intende per modernità non già un qualche specifico assetto ideologico-istituzionale, bensì un ampio, variegato, processo di mutamento e di mobilità, e poi ancora la rottura degli assetti sociali tradizionali, l'avvio di una diversificazione nell'economia, la distruzione e costruzione di patrimoni, gli spostamenti di proprietà, la maturazione di nuove forme culturali, di nuove idee, di nuovi costumi. Tanto più se per modernità si intende tutto ciò, tanto più allora si è costretti a concludere che l'Italia ne è lontana ed estranea. Ne è una conferma l'assenza dall'esperienza storica della penisola di quella tipica emergenza forte della modernità che è la *rivoluzione*: assenza riassuntiva e simbolica di tutte le altre fin qui enumerate, ma che andrebbe, forse, definita più appropriatamente come un vero e proprio introiettato rifiuto di ogni rottura effettiva, di ogni cambiamento radicale, di ogni svolta senza ritorno, che sembra caratterizzare la società italiana e la sua vicenda fino ai giorni nostri. È questa assenza profonda del binomio modernità-rivoluzione, tra l'altro, che serve a dare ragione di quell'aspetto decisivo dell'identità italiana ricordato al capitolo precedente che è il carattere eminentemente oligarchico della sua sfera sociale. Non sfidate da rivoluzionari, non agitate da movimenti sociali né da conflitti religiosi, non impensierite da pericolose alleanze tra intellettuali e popolo, non stupisce che le élite italiane abbiano potuto godere di un'assoluta continuità che ha conferito per l'appunto alla storia d'Italia quel duraturo carattere oligarchico destinato ad acquistare, dal conto suo, ancora maggiori radici e maggiore vastità di significato venendo a fare tutt'uno con la preminenza dei centri urbani, in forza dell'antica egemonia patrizia sulle città della penisola.

La lontananza dell'Italia dalla modernità, che si è fin qui descritta, è durata com'è noto fino alla metà circa del XVIII secolo, e più o meno fino alla stessa data dura il ruolo assolutamente predominante degli intellettuali letterati sul discorso politico. Lo sviluppo di sia pur tenui correnti di cultura illuminista in Lombardia, a Napoli, in Toscana – con l'attenzione che esse dedicano all'economia, alle istituzioni, ai problemi sociali – sembra l'inizio di una svolta e, chissà, avrebbe potuto esserlo se per avventura la spallata napoleonica e poi il dominio francese sulla penisola fossero riusciti – con un intervento dall'esterno, come essi indubbiamente erano, e dunque in modo del tutto artificiale, che configura quasi una forma di rivoluzione passiva – a forzare il ritmo storico della società italiana, a imporle forme politiche e giuridiche adeguate ai tempi, sì da farla ripartire con un buon tratto di cammino già percorso sulla strada della modernità, ma soprattutto avendo già consumato gran parte delle rotture necessarie rispetto al passato.

Invece, la sconfitta della Francia e la Restaurazione valsero a riportare il discorso sull'identità politica italiana al suo tradizionale punto cruciale, cioè alla questione della definizione di una statualità specifica, cui i tempi imponevano ormai di essere una statualità comunque «nazionale», così come gli stessi tempi contribuivano ad aggiungervi il problema e l'esigenza di forme di governo fondate sul consenso dei governati. In tal modo quella sconfitta, riportando in primo piano il problema nazionale e costituzionale, contribuì a togliere alla cultura politica legata ai saperi moderni di natura tecnico-scientifica – una cultura quindi della politica intesa finalmente non più come *arte* e non ancora come *scienza* smascheratrice delle apparenze istituzionali – quel po' di spazio che essa aveva potuto guadagnarsi nel governo della cosa pubblica durante il periodo napoleonico, e a riconsegnare un ruolo assolutamente centrale nell'elaborazione dell'identità politica italiana agli intellettuali letterati e ai loro materiali concettuali.

Questi poterono combinarsi a meraviglia con i problemi posti dalla nascita e dalla vita di uno Stato-nazione. Dimostrare l'esistenza imperitura nel corso del tempo di una nazione italiana, individuarne il senso e la missione ponendola in rapporto con il retaggio romano-latino, ricostruirne le vicende come una serie di pagine gloriose, di grandi nomi e di grandi eventi le cui potenzialità erano state però rese ogni volta vane dalle forze negative rappresentate dalla «Chiesa» e dallo «straniero», tutto ciò era quanto la tradizione culturale italiana aveva, si può dire, sempre fatto, e a ricordarglielo veniva ora – non a caso nel cuore del Risorgimento – la *Storia della letteratura italiana* di Francesco De Sanctis, vale a dire proprio il manifesto sommo di tale proclamata funzione civile degli intellettuali letterati. L'hegeliano De Sanctis ricostruiva tale funzione lungo l'asse laico-patriottico-statal-storicista, e in questo asse indicava il senso vincolante della nazionalità italiana tanto per il passato che per il futuro. Inutile aggiungere che assegnare un ruolo siffatto agli intellettuali letterati in un'età ormai di masse, e nel quadro altresì di forme di governo fondate sul consenso, equivaleva per forza ad enfatizzare ancor di più il già implicito contenuto pedagogico del loro ruolo.

E in effetti sono questi – superbamente sistematizzati nella *Storia* di De Sanctis – i lasciti più significativi che la secolare riflessione sull'Italia come problema politico da parte della tradizione culturale consegna al futuro, nel momento in cui quella tradizione vede raggiunta la meta sospirata di un'unificazione statale del paese all'insegna dell'indipendenza.

Si tratta anzi, a ben vedere, di un lascito solo, con alcuni corollari. Principalmente è l'idea che l'identità politica italiana sia, in sostanza, rappresentata dall'identità antichiesastica e «nazionale» dei suoi intellettuali letterati; che l'identità politica italiana, cioè, si formi e si collochi in via prioritaria entro uno spazio ideologico e culturale, e che dunque anche i problemi concreti che ad essa si ricollegano, le realtà concrete in cui essa prende forma, ripetano codesto carattere, siano anch'essi, alla fin fine, di natura ideologico-culturale e dominabili con strumenti di tal fatta.

Il corollario che discende dal primo presupposto – la sovrapposizione dell'identità politica italiana con la tradizione antichiesastica e «nazionale» di una specifica linea culturale assunta a «cultura nazionale» *tout court* – consiste, tale corollario, nell'irrimediabile frattura che così si stabilisce, tra siffatta identità e una parte rilevantissima di italiani. È, ineluttabilmente, l'idea delle due nazioni: da un lato quella «buona» dei colti illuminati, che si riconosce nella tradizione culturale di cui sopra, che per meglio dire *sono* quella tradizione, dall'altro lato la nazione «cattiva» dei semplici, delle masse popolari, le cui azioni e i cui valori avrebbero rappresentato storicamente la base di tutto ciò che dell'Italia non fa parte. Dal che discendono, a loro volta, due ulteriori corollari. Il primo è quello di una identità politica che incorporando un fortissimo principio di delegittimazione, in un certo senso basandosi addirittura su un discrimine legittimazione/delegittimazione, rende per ciò stesso quanto mai ardua qualunque effettiva unità ideologica-culturale del paese. Il secondo corollario è l'idea che, se le cose stanno come si è detto, allora è naturale che gli intellettuali «nazionali» finiscano per considerarsi alla stregua di una vera e propria minoranza con funzioni pedagogiche, una minoranza di stranieri profeti in patria, i quali alquanto plausibilmente, si considerano però gli unici rappresentanti ed interpreti autorizzati di questa stessa patria.

Egualmente gravido di conseguenze per il futuro è stato il secondo dei presupposti di cui si è detto sopra, e cioè l'idea che i problemi collegati all'identità politica italiana, nonché le concrete realtà istituzionali in cui essa prende forma dopo il '60 siano alla fin fine problemi e realtà strettamente attinenti alla natura ideologico-politica specifica di quell'identità, e che dunque la loro soluzione e/o funzionamento dipendano soprattutto dalla specifica accezione con la quale tale identità viene intesa e proposta. In tal modo, il problema dell'assenza di tradizione statale da un lato, e quello della vischiosità oligarchica della società italiana – che a giudizio di chi scrive sono i due massimi problemi della nostra lontananza dalla modernità – hanno potuto essere del tutto ignorati, oppure, com'è più spesso il caso, si è voluto credere che cessassero di essere dei problemi in forza esclusiva dell'accezione in auge in quel momento dell'identità politico-ideologica italiana. È accaduto così, ad esempio, che anziché rendersi conto delle formidabili implicazioni culturali, organizzative, istituzionali, talora di lunghissimo periodo, che stavano dietro il problema dello Stato in Italia si sia preferito, invece, credere che il problema stesse nella natura liberale o, che so, fascista, anziché democratica, dello Stato, o magari nell'orientamento politico in un senso o nell'altro della classe governante, e così via di seguito. Egualmente, non ci si è accorti che per modificare le ossificate strutture sociali del paese, per rompere la tendenza delle oligarchie a imporre i loro interessi attraverso le collaudate strutture familistiche, localistiche o corporativistiche, l'arma risolutiva non poteva certo consistere nell'imporre a quella oligarchia una qualche (sia pure «innovativa» o «rivoluzionaria») opzione ideologico-politica, perché – come è di fatto puntualmente avvenuto – esse si sarebbero immediatamente appropriate di qualunque di tali opzioni e così facendo le avrebbero piegate tutte invariabilmente alle proprie necessità.

Liberali, fasciste, democristiane, socialiste o uliviste, le oligarchie italiane hanno abbracciato ogni volta il partito che conveniva loro, certo non per questo hanno cessato di essere oligarchie. Ma, come si capisce, nella vicenda di un paese sorto ad unità statale e ad indipendenza ascrivendo la propria quintessenza di nazione e la propria identità ad una posizione ideologico-culturale elaborata da ristrette élite, era inevitabile che i contenuti di tale posizione fossero considerati l'alfa e l'omega di ogni questione, di ogni problema. Era inevitabile che ci fosse molta considerazione per gli «italiani» e l'esigenza di «farli», ma assai minore per i «cittadini»; che ci si desse molto pensiero per la Nazione ma molto meno per le oligarchie, che ci fossero molti occhi pronti ad appuntarsi sull'ideologia politica dello Stato, ma ben pochi per guardare alla definizione giuridica dei diritti.

## Notazioni bibliografiche

Le citazioni della *Monarchia* sono tratte da Dante Alighieri, *Opere minori*, vol. III, t. I, a cura di P.V. Mengaldo e B. Nardi, Milano-Napoli, Ricciardi, 1996, pp. 310, 326. Quelle del *Principe*, da N. Machiavelli, *Tutte le opere*, Milano, Mondadori, 1949, vol. I, pp. 82 e 84.

Sul mito di Roma tra gli intellettuali italiani si vedano le pagine dedicate a questo argomento da M.S. Sapegno, in *Italia, Italiani*, in *Letteratura italiana*, vol. V, *Le questioni*, Torino, Einaudi, 1986, e P. Treves, *L'idea di Roma e la cultura italiana del XIX secolo*, Milano-Napoli, Ricciardi, 1962.

I due libri inglesi citati nel testo sono M. Frei, *Getting the Boot: Italy's Unfinished Revolution*, London, Times Book, 1995, e P. McCarthy, *The Crisis of Italian State: From the Origin of the Cold War to the Fall of Berlusconi*, New York, St. Martin's, 1995.

Le citazioni in D. Mack Smith, *Italy's Dirty Linen*, in «New York Review of Books», 30 novembre 1965.

Le citazioni di Leopardi sono tratte dallo *Zibaldone* alla data 17 novembre 1823, in *Zibaldone di pensieri*, Milano, Garzanti, 1951, vol. II, p. 2052.

Le definizioni del Papato riportate nel testo sono di A. Prosperi, *Riforma cattolica, controriforma, disciplinamento sociale*, in *Storia dell'Italia religiosa*, a cura di A. Vauchez e G. De Rosa, vol. II, Roma-Bari, Laterza, 1994, p. 20.

Le citazioni di A. Gramsci, in *Quaderni del carcere*, a cura di V. Gerratana, Torino, Einaudi, 1975, vol. II, p. 1129-1130.

Per alcuni aspetti significativi della cultura statuale cattolica, addirittura della Chiesa, come anticipatrice della statualità moderna, è da considerare con attenzione il libro di P. Prodi, *Il sovrano pontefice*, Bologna, Il Mulino, 1982.

La citazione di Sabine, *Storia delle dottrine politiche*, Milano, Comunità, 1950, p. 280.

Per l'accenno alle imposizioni dei Longobardi sui contadini

e del disprezzo antropologico-culturale nei loro confronti, E. Sereni, *Agricoltura e mondo rurale*, in *Storia d'Italia Einaudi*, vol. I, Torino, Einaudi, 1972, p. 212. Ulteriori considerazioni circa la tradizione della cultura nazionale in rapporto al processo risorgimentale, quale tradizione delle «due nazioni» e circa i suoi esiti ideologico-politici in questo secolo, sono in E. Galli della Loggia, *Liberali che non hanno saputo dirsi cristiani*, in «il Mulino», n. 5, 1993 e *La democrazia immaginaria dell'azionismo*, in «il Mulino», n. 2, 1993.

Capitolo sesto

# Il travaglio della modernità
# e il problema dell'identità nazionale

«Sai cosa mi sembra l'Italia? Un tugurio i cui proprietari sono riusciti a comprarsi la televisione»: così si confidava nel gennaio 1963 Pier Paolo Pasolini in un'intervista ad Alberto Arbasino. Nelle sue parole risuonavano due temi: quello tradizionale, che ben conosciamo per averlo tante volte incontrato, dell'invettiva contro l'Italia, del giudizio terribilmente ed irrimediabilmente negativo che le condizioni della penisola sono solite suscitare nell'intellettuale-letterato almeno a partire da Dante, ma poi, accanto a questo, un tema nuovo: quello dell'incapacità/impossibilità per l'Italia di essere un paese davvero moderno. La modernità italiana, infatti, non riesce a cancellare l'antimodernità, non è capace né di superare né di risolvere in sé il passato, ma si sovrappone semplicemente ad esso, vi si mischia goffamente producendo solo incongruenza e inefficienze. Tra le molte e note incapacità dell'Italia se ne aggiunge dunque un'altra.

Ma non un'altra qualsiasi, bensì un'incapacità in certo senso definitiva, perché si tratta dell'incapacità, del fallimento, che segna la fine senza appello del sogno che aveva accompagnato e sorretto tutto il Risorgimento, tutto il disegno nazional-statale: il sogno cioè di un'«Italia nuova», di un'Italia che, come auspicavano le ultime righe della *Storia* desanctisiana, si mostrasse in grado per l'appunto di «convertire il mondo moderno in mondo nostro».

Già quando veniva pronunciato, nel 1963, il giudizio di Pasolini era, comunque, quello che si dice la punta di un iceberg. Infatti esso era largamente condiviso dal-

l'opinione colta del paese, dagli osservatori più prepara-
ti, da larga parte del ceto politico. Negli anni seguenti
avrebbe acquistato addirittura il carattere di un luogo
comune, e tale sarebbe rimasto fino ai giorni nostri anche
se non per questo meno suffragato da un numero imponente di prove, di ricerche, di analisi di ogni tipo. Soprattutto potendo invocare a proprio sostegno l'opinione
della grande maggioranza articolata in due distinte dire-
zioni, all'apparenza contraddittorie, ma in realtà conver-
genti: la prima, volta a lamentare la permanente mancanza in Italia di una «reale» modernità, e la seconda volta,
viceversa, a denunciare il carattere eminentemente distruttivo che la medesima modernità (proprio perché
non reale?) avrebbe avuto nella penisola. Troppo poco
moderna, insomma, l'Italia, incapace di esserlo, ma al
tempo stesso, però, moderna in modo cieco e perciò
radicale e assoluto. Comunque, quel che risulta sempre
sottolineato è un rapporto dell'Italia con la modernità
che fa apparire questa come qualcosa non nostra e non
fatta per noi, come qualcosa di puramente importato, che
dall'esterno c'imporrebbe dei doveri troppo difficili, cui
non ci riesce di adempiere, o a cui adempiremmo fuori
misura, in modo sempre maldestro e distruttivo.

Il traguardo dello Stato unitario raggiunto nel 1861,
insomma, non sarebbe riuscito affatto a rappresentare il
sospirato scioglimento di quel nodo di problemi con i
quali la penisola, per la peculiarità della sua storia, si era
trovata alle prese e che per così lungo tempo l'aveva
posta in condizione di inferiorità rispetto a tanta parte
del contesto europeo.

Non a caso, dopo circa un secolo e mezzo di vita di
quello Stato, l'impossibilità/difficoltà di diventare per
molti aspetti un paese «normale», nonché la presenza di
«un costume civico debole e incerto», erano i dati rias-
suntivi più comunemente evocati dagli storici. Uno di
essi, Franco De Felice, chiudeva la sua analisi del cammi-

no compiuto dal paese nell'ultimo ventennio del XX secolo non esitando a riproporre come assolutamente attuale la medesima domanda che si era posto esattamente al suo inizio, nel 1900, Antonio Labriola: «quante garanzie di Stato moderno offre ora l'Italia in quanto a mantenere un posto di utile ed efficace concorrente nella gara internazionale? (...) La vecchia nazione italiana, componendosi a Stato moderno, di quanto s'è trovata adattabile e di quanto s'è trovata difettiva di fronte alle condizioni della politica mondiale in genere?».

Del resto, come è noto, la tematizzazione di un forte deficit di modernità come qualcosa di insito nello stesso codice genetico della costruzione unitaria ha rappresentato non solo il motivo di fondo di tutta la protesta contro l'esito «moderato» del processo risorgimentale, ma altresì il motivo ispiratore e animatore – sia pure, com'è ovvio, variamente orchestrato – di tutte le culture politiche italiane in qualche modo riconducibili alla protesta ora detta: quella cattolica, quella democratico-mazziniana, quella marxista, e a suo modo anche quella fascista. Comune a tutte queste culture, infatti, è stata l'idea che sia il processo risorgimentale che la successiva costruzione dello Stato fossero caratterizzati entrambi da una sostanziale «arretratezza» – e che l'uno e l'altra fossero addirittura produttori essi stessi in qualche modo di arretratezza, per esempio in campo economico – a causa della loro debole natura democratica, della scarsa partecipazione politica e della ancor più scarsa mobilitazione sociale che al Risorgimento ed alla costruzione dello Stato avevano fatto da sfondo. La difficile modernità italiana, insomma, si spiegherebbe innanzi tutto con la scarsa democrazia. E dunque ogni progresso in tal senso, ogni allargamento della struttura sociopolitica ai «cittadini», al «popolo», ai «lavoratori», si risolverebbe in una spinta decisa verso un paese e uno Stato più «moderni» – vale a dire più giusti, più efficienti, più «democratici» appunto.

È lecito avere molti dubbi che le cose stiano così e che sia davvero questo il problema della modernità italiana. A chi scrive sembra, anzi, che proprio aver posto così quel problema abbia contribuito non solo ad oscurarne i dati reali, e quindi ad accrescerne le proporzioni, ma forse anche a renderlo di assai difficile soluzione.

Il punto decisivo è che in una prospettiva come questa, che lega strettamente la modernità alla democrazia, la politica assurge inevitabilmente ad un ruolo demiurgico e tende perciò ad assumere un'ampiezza sociale smisurata. È esattamente ciò che è avvenuto in Italia, dove, peraltro, molti fattori si sono associati nel determinare ed aggravare siffatto esito, ancora oggi così tipico del nostro paese, e che ha avuto un grande rilievo nel travaglio della modernità italiana.

Il modo stesso della nascita dell'Italia unita ha rappresentato il primo dei fattori iperpoliticizzanti, chiamiamoli così. Creata da una rivoluzione dall'alto – cioè dalla più forte e più tipica delle decisioni politiche immaginabili – l'Italia ha avuto da questa sua nascita la spinta decisiva sulla via della iperpoliticità. La politica ha supplito dove la storia non era arrivata. Mancando, ad esempio, di una qualunque tradizione o cultura in questo campo, anche la sua articolazione istituzionale di Stato moderno dovette essere importata da fuori, con una decisione esclusivamente politica: dallo Statuto Albertino al modello di amministrazione centrale, al sistema dei prefetti a quello universitario, tutto fu ripreso o ricalcato dall'esperienza belga, francese o di qualche altro paese europeo, per volontà ed esigenza dettate dalla politica. Dunque non solo l'origine, ma anche la forma organizzativa, gli istituti concreti della moderna statualità italiana, hanno avuto un carattere per così dire artificiale. Ed essendo privi di radici storiche nel paese, non potendo contare su *ethos* particolari consolidati, su stili di vita antichi, su valori da tempo introiettati, anche per queste ragioni lo Stato e i suoi istituti hanno mostrato una costante permeabilità, spesso pronta a divenire pura e semplice subalternità, nei confronti della politica. Il punto è che in realtà, se si prescinde dalla politica, la statualità italiana non ha mai avuto alcuna base propria e autonoma su cui poggiare. Ma bisogna anche dire che se la sfera della politica – potendo tra l'altro vantare di aver portato il paese al traguardo della sua unità statale – ha avuto in Italia un peso così grande, proprio questo suo ruolo tanto rilevante è stato responsabile di non poche patologie.

Ad esempio, il prestigio, il potere di agire e di cambiare, nonché l'autorità sociale, attribuiti al comando politico come tale, hanno fatto sì che solitamente sia le varie culture politiche del paese, sia i singoli che di volta in volta s'identificavano con quel comando e l'incarnavano, si curassero poco o nulla di avere anche un adeguato bagaglio di cultura istituzionale, di studiare gli strumenti giuridici ed organizzativi dei loro programmi, di valutarne le implicazioni, i costi e gli effetti. L'enorme rilievo della politica, insomma, ha prodotto una politica troppo fissata su se stessa, in certo senso ammaliata dal proprio potere autoreferenziale, e per conseguenza digiuna di amministrazione, nel profondo incurante di ogni autonoma dimensione e di ogni autonomo sapere della statualità, nonché dei valori di questa.

Dunque nell'esperienza complessiva del paese, a partire dalla sua unità, molta politica e poco Stato, molta ideologia e poca cultura dello Stato, secondo una formula che abbiamo visto avere una lunga tradizione nella vicenda storica della penisola ma che ora, dopo il 1861, veniva singolarmente ribadita proprio quando era raggiunto il traguardo del primo Stato italiano. Stato italiano, peraltro, che negli ultimi 140 anni – e almeno fino a tempi recentissimi – ha assistito ad una crescita continua delle proprie funzioni e attribuzioni. Ma in realtà, a dispetto dell'apparenza, non c'è mai stata alcuna contraddizione tra uno statalismo siffatto e l'iperpoliticità di cui si è fin qui detto; anzi, per essere esatti si deve dire che l'uno è stato semplicemente il frutto dell'altro. È stata, infatti, proprio l'enfasi sul comando politico, sulla sfera politica come promessa di adempimento nella prassi di un obbligo ideologico, è stata proprio la profonda compenetrazione con la politica di tutta la vita sociale italiana, una delle cause primarie del moltiplicarsi degli interventi dell'amministrazione, dell'assunzione da parte dello Stato dei compiti più diversi. Se la politica è da un lato circondata del massimo delle attese, e dall'altro essa pensa di dovere e di poter fare tutto, allora è ovvio che ciò può accadere solo mobilitando il principale strumento che da sempre la politica stessa ha a disposizione, e che è per l'appunto lo Stato.

Nel caso dell'Italia un ulteriore elemento ha poi contribuito con forza a porre l'accento sul ruolo della politica e a spingere questa a valersi dell'intervento statale: è stata la sostanziale povertà del paese, i grandi bisogni insoddisfatti di tanta parte della sua popolazione, l'esigenza sentita dai più di colmare il divario creatosi nell'industrializzazione rispetto a molti altri grandi paesi europei. In un contesto povero di risorse, insomma, bisognoso al massimo di impulsi produttivi, per giunta sfidato dai fenomeni generali di modernizzazione e con un sistema politico sottoposto al periodico vaglio di competizioni elettorali (fatto salvo solo il ventennio fascista), non stupisce che la politica si sia presentata storicamente, tanto ai governanti come ai governati, come la risorsa decisiva. Lo dimostrano lo statalismo schietto o la sostanziale deriva statocentrica di tutte le culture politiche italiane, comprese quella liberale della Destra storica e quella cattolica, che certo muovevano da premesse ben diverse. Sta di fatto che invocare lo Stato per mettere dazi, rilasciare licenze, autorizzare attività, tutelare professioni con appositi albi, elargire pensioni, finanziare partiti, proteggere interessi costituiti e corporazioni, e fare quant'altro è possibile con il suo aiuto, ha rappresentato una tentazione e insieme un'esigenza che, rafforzandosi a vicenda e coalizzate, hanno finito per esercitare una pressione cui finora nessun regime politico della penisola è riuscito in sostanza a sottrarsi; né forse poteva.

In parte considerevole, dunque, l'identità dell'Italia – come quella di molti altri Stati come lei poveri e di origine rivoluzionaria – è stata costruita sulla pietra angolare della politica, intesa sia come animatrice di passioni che come erogatrice di risorse: passioni e risorse suscitate dalla politica che hanno rappresentato insieme, per un gran numero di italiani, la principale via d'accesso alla modernità. Per molti uomini e donne vissuti nella penisola dopo il 1861, infatti, leggere un giornale o un libro, partecipare ad una riunione o prendere un treno, riflettere criticamente sui propri abiti di vita o di pensiero, farsi un'immagine del mondo, sono stati legati in qualche modo ad un'occasione o ad un impegno dietro cui c'era la politica.

Ma come si è già detto, caratteristica italiana è stata una disgiunzione netta della sfera della politica da quella dello Stato e delle istituzioni. Egualmente, anche la via politica alla modernità si è mantenuta in questa prospettiva, e l'impegno politico dei singoli, spesso di segno alternativo o sovversivo rispetto all'ordine vigente, ben poche volte ha voluto dire cultura civica, immedesimazione consapevole con le esigenze di vita e di governo della collettività, attenzione alle regole e alle procedure, ai diritti. Voglio dire cioè che l'identità dell'Italia moderna – nonostante, o proprio in ragione della forte centralità della politica – non è riuscita in alcun modo a riempire quel vuoto storico di statualità e di civismo, prodotto nel corso dei secoli dall'assenza di un vero assolutismo e di anelito religioso nel pensiero sulla società. Lo Stato, le istituzioni e il loro *ethos*, sono rimasti qualcosa di estraneo, di calato dall'alto, e ciò anche per effetto deciso della politica che – proprio per questa perdurante latitanza della dimensione statale e civica – ha potuto invece fare tutt'uno con quello che a ragione può essere considerato uno dei tratti più spiccati e più antichi dell'antropologia italiana: la propensione alle appartenenze circoscritte, al gruppo, al clan, alla consorteria, alla fazione. E in notevole misura precisamente in ciò è consistito, e tende di continuo a consistere, l'impegno politico in Italia, pur nella sua novecentesca dimensione di massa: un modo per affermare appartenenze, per costruire o ribadire identità, per creare o rafforzare legami interpersonali, per tracciare una linea netta tra «noi» e «loro», o magari anche – come pure spesso capita – per riciclare in termini apparentemente nuovi antiche contrapposizioni, secolari divisioni all'interno di una comunità. Per molti, moltissimi italiani, nelle mille realtà locali della penisola, essere socialisti o fascisti, neutralisti o interventisti, comunisti o democristiani, ha voluto dire principalmente la conferma di una solidarietà, la speranza di un piccolo beneficio, un modo di difendersi o di sopraffare, la conseguenza obbligata di un vincolo personale.

Ma in questo modo, come si capisce, la moderna identità italiana – che pure era stata tenuta in certo senso a battesimo dalla politica, e che sulle vaste mobilitazioni politiche di questo secolo ha anche in qualche misura fatto leva per crescere e per strutturarsi – quella modernità, dicevo, si è trovata come bloccata, tra l'altro, proprio dal modo d'essere della politica. A cominciare dal deficit di Stato che ha caratterizzato in permanenza quest'ultima: cosicché anche la modernità italiana, priva ancora e sempre di un solido sfondo statual-istituzionale, legata ognora fortemente alle antiche antropologie particolaristiche, non ha voluto né potuto quasi mai segnare una vera rottura con i passati d'ogni tipo che la storia le aveva messo alle spalle. Il più delle volte, invece, ha preferito usarli – o lasciare che venissero usati – come ammortizzatori al fine di rendere meno difficile o doloroso il proprio cammino. Ciò beninteso ha arrecato con sé anche dei vantaggi: si pensi ad esempio alla straordinaria capacità mostrata dalla dimensione familiare italiana di fungere ancora oggi da cellula importantissima della struttura produttiva della penisola, e insieme da sostegno altrettanto importante della vita quotidiana di un gran numero di persone. Ma tutto ciò ha comportato anche un prezzo, e il prezzo è stato la rinuncia/impossibilità della modernità italiana stessa a divenire cifra ideologicamente egemone e metro regolatore della vita collettiva, a sottomettere e ordinare le differenze, a rompere i feudi, a dare sicura pienezza di diritti agli individui in cambio del sicuro adempimento dei doveri.

D'altra parte, l'Italia nata nel 1861 e le sue classi politiche non potevano certo trovare nella storia del paese i materiali con cui costruire lo Stato e le sue istituzioni, né tanto meno potevano trovare una tradizione di comando e di efficienza amministrativi con cui, magari ingabbiandola, tenere insieme la nazione. La Destra postcavouriana ci provò, fino ad un certo punto, ma in fin dei conti la cosa ripugnava alla sua ideologia liberale. È vero che l'Italia del '61 e le sue successive classi dirigenti non erano neppure in grado di contare su una società in sintonia con il loro progetto modernizzatore, ma almeno la società, grazie alla politica, alle sue mediazioni ed alle risorse da essa manovrabili, poteva bene o male essere convinta a fornire il proprio appoggio, purché naturalmente non la si disturbasse troppo. Per un quindicennio la Destra storica puntò sulla carta rappresentata dallo Stato. Fece ricorso sì al comando politico, ma unicamente nella prospettiva hegeliano-giacobina di usarlo per animare e rinvigorire il comando statale. Quando nel 1876 fu costretta a gettare la spugna, per la sollevazione degli elettori (massiccia specie al Sud), allora poté avere finalmente inizio la lunga stagione della politica come mediazione, della politica non più candidata, attraverso lo Stato, a rappresentare la guida emancipatrice della società, ma in certo senso l'ancella di questa.

Infatti, una modernità con molta politica e poco Stato è stata necessariamente una modernità sottomessa grandemente alla società, costretta ad accogliere ed in qualche modo incorporare tutte le vischiosità, i ritardi, le paure e le contraddizioni della sfera sociale. La politica, il suo pensiero, i suoi addetti hanno avuto l'agio, bensì, di immaginare ed alimentare tutti gli statalismi che volevano, di mettere a punto tutte le ideologie modernizzatrici che preferivano, ma, ogni volta, ciò che di tutto questo è poi riuscito a passare nel tessuto reale del paese è stato solo quanto la società riusciva per suo conto a ruminare e a metabolizzare, perlopiù in base unicamente alle sue esigenze e ai suoi desideri. Per 150 anni l'intenzione politica – già la decisione era cosa in parte diversa – è stata di regola modernista o modernizzatrice, orientata a uniformare e razionalizzare, ma scendendo verso il basso, calando sui suoi destinatari, essa è stata puntualmente chiamata a fare i conti con l'incontrollabile, radicatissima molteplicità, spesso addirittura molecolare, degli attori e dei processi sociali. Ed ecco allora la modernità italiana diventare con la massima facilità corporativismo, familismo, evasione fiscale, illegalità di massa, e quant'altro: ecco cioè quella modernità priva di Stato comportare paradossalmente la crescita di un gran numero di fenomeni che, giudicati esteriormente, ne appaiono la contraddizione vivente.

L'eterogenesi dei fini è così diventata la vera chiave esplicativa della modernità italiana. La rivoluzione politica unitaria, partita con il proposito di costruire lo Stato nonostante – e talora contro – la società, di fronte alle resistenze ed alle difficoltà opposte da questa, è rapidamente addivenuta ad una sorta di Nep: ha abbandonato l'obiettivo iniziale, ha rinunciato allo Stato, e ha lasciato che la modernità italiana, priva del sostegno organizzativo ed autoritativo dello Stato medesimo, venisse gestita per così dire in proprio dalla società, in una miscela straordinaria di persistenze e di innovazioni, così come di volta in volta suggerivano o imponevano le multiformi vocazioni storiche, addensatesi nella penisola nel corso dei secoli.

Ma, paradossalmente, proprio perché nei fatti aveva rinunciato al suo massimo obiettivo, la sfera politica si trovò per così dire sospinta a rilanciare di continuo il proposito iniziale, dando vita a ideologie e culture politiche immancabilmente orientate alla statualità, spesso allo statalismo, e comunque sempre esposte ad una deriva statocentrica, come l'ho chiamata, sempre pronte comunque ad assegnare allo Stato compiti pratici ed etici straordinari.

In teoria. Nella pratica, infatti, la società s'incaricava ogni volta di volgere ai propri scopi particolari lo statalismo senza Stato della politica, frantumandone l'impulso unitario e privatizzandone gli effetti. Dal canto suo, la politica imparava la lezione, adeguandosi e separando schizofrenicamente le parole dai fatti, procedendo con i programmi e i discorsi in un modo, ma con la realtà in un altro.

L'identità italiana contemporanea è stata modellata a fondo da questo rapporto così tormentato e contraddittorio tra la modernità, la politica e la dimensione statale. È a questo rapporto ed alle sue modalità sopra descritte, per esempio, che deve essere fatta risalire, a mio giudizio, una grave, duplice assenza che distingue l'intera vicenda italiana iniziatasi nel 1861: l'assenza di vere élite specialmente burocratico-amministrative da un lato, e l'assenza di una cultura e mentalità di tipo conservatore dall'altro.

La debole incidenza dello Stato rispetto al ruolo strabordante della politica ha voluto dire l'impossibilità che in Italia nascesse, mettesse radici e si sviluppasse una vera cultura dello Stato, una cultura cioè degli interessi generali e della loro tutela, della legge, dell'imparzialità delle procedure: una cultura dunque, come si capisce, tendenzialmente opposta all'inevitabile, necessaria, arbitrarietà della decisione politica. Ora precisamente tale cultura – e solo tale cultura – è quella all'ombra della quale possono nascere per l'appunto delle élite burocratico-amministrative.

Può cioè crescere un gruppo di persone destinate ai posti direttivi nelle carriere pubbliche (direttori generali, prefetti, intendenti di finanza, ambasciatori, alti gradi militari) che si sentano investite dell'autorevolezza della funzione e del prestigio culturale necessari vuoi a consigliare i politici (e a far pesare il proprio consiglio), vuoi, nel caso, ad opporsi ad essi in forza di null'altro che del proprio ruolo, della consapevolezza di ciò che esso significa.

Nell'esperienza italiana queste élite – la cui esistenza, come si è detto, è il frutto di un *ethos* diffuso di «servizio allo Stato», e quindi, naturalmente, dell'esistenza di uno Stato degno del nome – hanno fatto drammaticamente difetto, e ciò ha ancor di più allargato e reso penetrante il raggio d'azione della politica. Più in generale, questa fortissima incidenza della politica sulla società italiana ha reso difficile, se non impossibile, la formazione e l'ascesa ad un ruolo d'influenza significativa di qualsiasi gruppo sociale, di qualsiasi corrente ideale, che non si ricollegasse in qualche modo alla politica, dove con questa parola s'intende, come si capisce: la politica di partito, il vincolo delle appartenenze, degli equilibri e degli schieramenti politici. Nell'esperienza dell'Italia unita non vi è traccia di istituzioni, cenacoli culturali, ambienti professionali, personalità di qualunque tipo (forse con la sola parziale eccezione di Benedetto Croce), che siano riusciti ad affermare stabilmente il proprio prestigio e a usarlo in una generica dimensione di leadership sulla società senza avere rapporto alcuno con la politica, senza passare prima o poi attraverso i suoi canali o prescindendo dai suoi rappresentanti. Il che porta anche a considerare, tra l'altro, il debolissimo ascendente che nella sfera pubblica italiana ha arriso tradizionalmente al merito, alle qualità e capacità personali, e, per un altro verso, al prestigio di ceto in quanto tale: al più oggetto quest'ultimo di reverenza formale ma incapace, per solito, di svolgere una qualche vera funzione di tipo egemonico o di avere l'ambizione di farlo.

Assenza di autonome élite amministrative, culturali e sociali, scarsa incidenza del merito e della dimensione cetuale: questi fattori contribuiscono altresì a dar conto di un'ulteriore tipica caratteristica dell'esperienza unitaria italiana a cui si è già fatto riferimento: l'assenza in tale esperienza di un effettivo polo di segno conservatore. Parlo naturalmente di un segno conservatore niente affatto cieco e per partito preso, bensì colto, nutrito di scetticismo e di tolleranza, intimamente liberale, quale è quello che si ritrova in altre contrade del mondo di cui pure noi facciamo parte. Ma nell'identità dell'Italia contemporanea per tale segno conservatore non c'è mai stato posto. La spiegazione è innanzi tutto di carattere storico: era ben difficile che uno Stato-nazione formatosi per via rivoluzionaria potesse veder sorgere e vedere legittimata una posizione politica realmente conservatrice. In generale, la storia voleva che nel caso italiano mancasse ciò che a una posizione conservatrice (e non solo in campo politico) è assolutamente essenziale, vale a dire un adeguato sfondo temporale: non può certo ambire al nome di conservatore chi vuole mantenere cose e assetti che al massimo risalgono a trenta o quaranta anni prima.

La recente origine dello Stato, il carattere non autoctono dei suoi istituti, la sua assenza di legami con la tradizione, la sua natura politica e ideologicamente rivoluzionaria, tutto ciò, insieme alla connessa assenza di un tratto conservatore, serve almeno in parte a spiegare un aspetto assai importante dell'esperienza unitaria: la mancata trasformazione delle antiche oligarchie italiane in nuove élite nazionali. Costituitosi il nuovo regno, i notabilati urbani della penisola furono assai più propensi a cogliere le opportunità che la politica rappresentava – l'elezione a deputato o a consigliere comunale, la nomina a senatore – anziché lasciarsi attrarre dalle carriere amministrative dello Stato.

Il fatto è che – simbolicamente ma non solo – la politica rappresentava per antonomasia il potere, e le oligarchie italiane decisero di affidare alla contiguità con esso, all'investimento diretto nel potere, la possibilità di continuare a svolgere la propria funzione di comando nella società. Fu soprattutto sul terreno del potere, e dunque della politica, che avvenne il riallineamento delle antiche classi dominanti con il nuovo regime. Si trattò di un modello che si sarebbe ripetuto più volte nei decenni successivi: il modello secondo il quale, mentre nella politica in quanto sfera ideologica avvenivano rotture anche drammatiche (si pensi a quelle del 1922 o del 1943-46), mentre in essa si succedevano diversi e contrapposti regimi, proprio la politica – ma in quanto puro esercizio del potere e delle sue mediazioni – avrebbe rappresentato il luogo deputato ad assicurare la continuità complessiva delle classi dirigenti italiane, la loro costante ricomposizione unitaria.

Tornando al problema della formazione delle élite, oltre alle difficoltà generali di ordine storico-politico richiamate sopra, un altro elemento negativo di non poco conto è stata l'assenza nella penisola degli snodi sociali di cui una posizione culturale conservatrice ha bisogno: le istituzioni del merito, della competenza e del rango, quelle, per intenderci, da dove il potere e l'influenza promanano verso l'esterno in modo per così dire naturale ed insieme osmotico: le istituzioni dove altrove si forma ed opera una parte consistente delle élite, appunto. Non in Italia;

nell'Italia unita l'alta burocrazia, l'accademia, l'ufficialità, l'alta borghesia delle professioni e delle industrie, non avendo istituzioni salde ed antiche a cui appoggiarsi, tanto meno lo Stato, non riusciranno mai a produrre alcun saldo orientamento conservatore, alcuno stile di vita, alcun modello comportamentale di questo tipo. La modernità italiana ne è rimasta naturalmente segnata in profondità. Tutta giocata sulla politica, non ordinata da alcuna cultura dello Stato e priva di un principio riequilibratore rappresentato dalla presenza di una posizione conservatrice, essa si è trovata davanti, senza filtri e mediazioni che non fossero quelli rappresentati ed allestiti dalla politica stessa, una società geograficamente più che frastagliata, segmentata in antichi sottoambiti particolari saldissimi, corporativa e oligarchica. Inevitabilmente, quella modernità ha acquistato non solo un carattere disordinato e senza principio, ma un'apparenza di precarietà, come di qualcosa mai accettato e introiettato davvero, come di qualcosa perennemente in bilico tra l'uso solo strumentale che ne viene fatto e il risultato devastante che essa produce.

È proprio questo vuoto verificatosi nella costruzione dell'identità italiana contemporanea sul crinale tra la società e lo Stato che spiega – o almeno contribuisce a spiegare – l'influenza, il prestigio e la popolarità simbolico-ideologica che nella vicenda dell'Italia unita si sono guadagnati, e attraverso tutti i cambiamenti di regime continuano a godere, la Chiesa con il clero da un lato, e l'arma dei Carabinieri dall'altro. È ovvio che qui parlo della Chiesa e del clero esclusivamente come istituzione, prescindendo del tutto dal lascito religioso che essi rappresentano e amministrano. L'una e l'altro, e insieme i Carabinieri, costituiscono nel caso italiano una sorta di surrogato. Incorporano e rappresentano innanzi tutto, una somma di istituzionalità, sono un'istituzione per antonomasia: regole precise, prevedibilità ed affidabilità di comportamenti, spirito di corpo con relativa compattezza gerarchica, esplicitazione immediata dei valori e dei fini collettivi al cui servizio si è posti. Non basta: di ciò che un'istituzione è, e deve essere, Chiesa e Carabinieri possiedono un'ulteriore caratteristica, il senso vivo e geloso della tradizione. Si tratta, infine, di istituzioni fondate saldamente sul merito, e abituate a curare con attenzione gli aspetti connessi al rango, a cominciare dalle formalità che in questi casi (come del resto in molti altri) alludono sempre a qualcosa di niente affatto formale. Come se tutto ciò non bastasse, entrambe, per giunta, sono abituate ad osservare costantemente una norma di riservatezza e ad instaurare con coloro con cui vengono in contatto un rapporto perlopiù di fiducia personale. Come si è detto nelle pagine precedenti è davvero difficile immaginare due caratteristiche più confacenti ad incontrarsi con la secolare antropologia degli italiani (della quale, peraltro, sia la Chiesa che l'Arma sono due evidentissime espressioni). Fatto sta che nel panorama italiano Chiesa e Carabinieri rappresentano da 150 anni gli unici autentici referenti istituzionali, le uniche due istituzioni realmente tali – la cui immagine pubblica, infatti, non a caso, corrisponde perfettamente a tale natura – alle quali sia lo Stato che i cittadini pensano di rivolgersi nei momenti di massima crisi della compagine nazionale, allorché niente altro sembra più in grado di esistere e di resistere.

La fragilità storica della struttura statuale-istituzionale, la mancanza di un principio conservatore e di vere élite, tutti questi elementi che hanno caratterizzato per così dire «in alto» la modernità italiana, hanno corrisposto «in basso» ad una legittimazione dello Stato unitario che si è mantenuta costantemente problematica e incerta. È per l'appunto ciò a cui ci si riferisce quando per il nostro paese si parla di debole «identità nazionale». Questa debolezza non solo è uno dei tanti fattori che sono evidentemente in un rapporto di causa ed effetto con la statualità debole così tipica della vicenda italiana (pur tanto attraversata da politiche e propositi statalisti), ma vale altresì a spiegare un altro aspetto assai importante: il fatto cioè che in Italia la modernità ben raramente è riuscita ad avere un volto nazionale, ad assumere abiti e contenuti tipicamente italiani. Specie nel campo delle fogge dell'arredamento ma soprattutto dell'abbigliamento, dell'intrattenimento di massa, degli oggetti di consumo quotidiano, dell'alimentazione, in generale in tutti questi campi (tra l'altro particolarmente cruciali per l'acculturazione giovanile) la modernità italiana ha mostrato un altissimo grado di permeabilità rispetto modelli di provenienza straniera, perlopiù statunitensi: fino al punto da far dire ad un osservatore straniero che «nella penisola tutto ciò che è americano cessa di essere percepito come straniero». Ora, la causa di tutto ciò va sicuramente cercata, come si è detto, nella difficoltà della modernità italiana di combinare creativamente materiali e depositi storici della nostra identità, di adattare ciò che è peculiarmente italiano alle sue esigenze e viceversa. Ma una causa altrettanto importante è evidentemente la scarsa richiesta che gli italiani pongono alla modernità di essere sì tale ma con connotati italiani, che parlino cioè alla memoria della nazione. E da questa lontananza tra la nazione e la modernità – dall'impossibilità della modernità di essere nazionale e della nazione di essere davvero moderna – risulta naturalmente confermato ed accentuato, si capisce, il già ricordato potenziale distruttivo che la modernità è destinata ad avere nella penisola, dal momento che essa viene a rappresentare inevitabilmente qualcosa di estrinseco e di sovrapposto.

La debolezza dell'identità nazionale implica comunque il problema storico della scarsa legittimazione popolare dello Stato italiano, risalente alle sue origini risorgimentali. Pochi elementi più di questo – della sua oggettiva gravità, e forse ancor di più del modo in cui tale gravità, è stata percepita – hanno determinato i caratteri della moderna identità italiana, a cominciare da quello, importantissimo, della centralità strabordante della politica, sulla quale ci siamo già in parte intrattenuti. Si può dire, infatti, che la massima parte della produzione di ideologie politiche avutasi nella penisola nell'ultimo secolo, così come la massima parte dell'impegno e della mobilitazione da esse suscitate, siano state indotte precisamente dal desiderio di colmare il deficit di legittimazione di cui sopra, di portare finalmente il «popolo» nello Stato, cancellando una buona volta la tara d'origine di quest'ultimo. Un'«Italia del popolo» ha rappresentato l'ideale politico primo – lo si è già detto in un'altra occasione – tanto del mazzinianesimo e del socialismo che del popolarismo cattolico, del fascismo, come del comunismo: ed è ovvio che un simile obiettivo non poteva che comportare, ed al tempo stesso autorizzare, un rimaneggiamento profondo dello Stato (ma non solo), a far da guida al quale non era ragionevolmente dato di immaginare altro che la politica.

È proprio quanto ora detto che insieme ad altri fattori – tra cui, principalissimi, la storica povertà delle masse della penisola, e l'altrettanto storico divario tra il moderno basso rango internazionale del paese e la sua antica memoria romano-latina – spiega il carattere spiccatamente religioso-fideistico di tanta ideologia politica italiana e, insieme, la forte natura identitaria e militante delle appartenenze da tale ideologia suscitate, il loro permanere, nonostante il mutare delle condizioni economiche del singolo, il loro frequente tramandarsi di padre in figlio.

È difficile non vedere come tali caratteri tipici dell'acculturazione politica delle masse italiane si ricolleghi direttamente alla specifica qualità della legittimazione dello Stato nazionale. Questa, come del resto tutta la sfera della politica e della statualità moderne, erano venute costruendosi, in Italia, all'insegna della più completa assenza di elemento religioso. Nella penisola la religione e la politica erano rimaste due entità istituzionalmente ostili.

Inutile aggiungere – perché lo abbiamo già detto – che proprio questa separazione antagonistica, escludendo di fatto dalla fondazione ideologica dello Stato italiano tutta la tradizione cattolica ed i moltissimi che vi si riconoscevano, fu certo di non poco conto nel restringere la base di legittimazione dell'Italia unita. Ma proprio perciò, proprio a causa di questo deficit spirituale all'origine dello Stato, ancora più forte – si può ritenere – sia stata la predisposizione delle grandi masse italiane, estranee a quell'origine, ad aderire ad ideologie politiche che, quali più, quali meno, facevano tutte largo spazio a elementi di religiosità non trascendente, a modelli d'impegno personale e collettivo di tipo salvifico. Ci deve essere una ragione, insomma, se proprio l'Italia è stata la patria del fascismo e del più grande partito comunista dell'Occidente, se in Italia hanno avuto così largo successo le due più importanti religioni secolari del ventesimo secolo: ebbene, questa ragione è forse da ricercare proprio nel fatto che, espulso dallo Stato e dalla sua legittimazione, l'elemento religioso è massicciamente rifluito nella politica, ha trovato qui il campo dove rivendicare il proprio indistruttibile nesso con le paure e le speranze degli uomini.

Il debole sentimento nazionale italiano – cioè lo scarso sentimento che gli italiani hanno di essere una nazione e le poche circostanze in cui manifestano di esserlo davvero – questo dato così centrale e significativo della moderna identità italiana è il frutto combinato dei due principali elementi su cui ci siamo soffermati in questo capitolo. Innanzi tutto del carattere fragile della costruzione statale-unitaria. Come tali l'identità nazionale e il suo sentimento non esistono in natura. L'una e l'altro sono il prodotto di élite ideologico-culturali, in genere inserite nelle istituzioni dello Stato, e perlopiù profondamente

157

connesse alla prospettiva di carattere antiparticolaristico dalle stesse élite, per l'appunto, assegnata a quelle istituzioni ed allo Stato nel suo complesso. È la doppia azione combinata di élite ideologico-culturali del genere e delle istituzioni statali – soprattutto di quelle preposte all'amministrazione concreta dell'interesse generale (per esempio il fisco o la giustizia), ovvero, specificamente, alla formazione di una cultura dell'appartenenza collettiva (come sono la scuola e l'esercito) – è siffatta azione combinata che è all'origine dell'identità nazionale e del relativo sentimento.

In Italia, il carattere immediatamente ideologico dello Stato (a causa della sua origine da una rivoluzione/guerra civile), e il carattere immediatamente politico delle élite legate ad esso, nonché la inadeguatezza degli strumenti nazionalizzatori (si pensi alla lentissima diffusione dell'istruzione obbligatoria), hanno impedito all'ambito della statualità di essere quel fattore decisivo per la crescita dell'identità nazionale che esso è stato solitamente altrove.

La strabordante centralità della politica ha rappresentato la seconda grande causa che ha impedito all'indomani del 1860 il radicarsi di una forte identità nazionale in Italia. Le ragioni anche qui sono state almeno sommariamente già indicate. Il ruolo amplissimo della politica – di una politica presentatasi perlopiù come religione secolare di salvezza collettiva, ma che poi, contraddittoriamente, è diventata ogni volta, appartenenza particolare e risorsa individuale – ha voluto dire fin dall'inizio l'inevitabile forte connotazione in senso politico-partitico dell'identità e del sentimento nazionali. In una situazione come quella italiana, in cui la politica era destinata a restare così lungamente e largamente estranea alla dimensione ed alla cultura dello Stato, il richiamo alla nazione si è quasi sempre confuso con un uso affatto strumentale.

In complesso, dunque, né lo Stato e le sue istituzioni, né la politica sono riuscite a rappresentare i presupposti adeguati per la crescita nei cittadini (del Regno prima e della Repubblica poi) dell'identità nazionale e del relativo sentimento di appartenenza come fatto in sé positivo. Dal 1945 in avanti perché, cauterizzati dalla catastrofe del nazionalismo fascista, Stato e istituzioni si sono posti ben raramente quell'obiettivo; e in precedenza perché se lo erano posti sì, ma in un contesto che ne rendeva il raggiungimento di fatto impossibile o limitato a delle minoranze sia pure non insignificanti.

Neppure dall'azione della cultura e degli intellettuali (dove con questo nome s'intendono sempre, naturalmente, gli intellettuali letterati) si può dire che l'identità nazionale abbia ricevuto tutto sommato un particolare alimento.

In un secolo e più non sono di certo mancate opere le più diverse che hanno messo al proprio centro l'Italia, la sua storia, il suo senso e il suo destino di nazione, ma molto di più ha contato il tradizionale, fortissimo, legame che cultura e intellettuali sono stati soliti intrattenere con la politica, essendo tra l'altro essi stessi, in un certo senso, i primi e più importanti produttori di ideologie politiche della penisola fino a tempi assai recenti. Il legame ora detto ha riconfermato l'antica centralità della cultura e degli intellettuali letterati nella definizione dell'identità politica dell'Italia, ma ha ribadito altresì due caratteri fondamentali dell'orientamento ideologico di fondo con cui tale centralità si è espressa: la sua divisività e – altra faccia della stessa medaglia – la sua permanente propensione al compiacimento «antiitaliano». In altre parole, seguendo i dettami del suo codice originario opportunamente rinverdito durante il Risorgimento, la cultura italiana postunitaria ha fornito quasi sempre un'immagine dell'identità del paese come di due nazioni tra loro incompatibili: l'una abitata da italiani «buoni», l'altra da italiani «cattivi» (dipinti naturalmente come la maggioranza, la pesante zavorra che sempre è di ostacolo a chi invece vorrebbe agire per il meglio). Da ciò quella cultura ha tratto frequente spunto da un lato per esprimere un giudizio spietatamente pessimistico sul conto del paese e della sua storia, dall'altro per rivendicare un minoritarismo «eroico» dei «buoni», condannati inevitabilmente a soccombere. Da entrambi questi modi, come si capisce, si è rivelato però difficile, anzi impossibile, costruire un'immagine condivisa del passato italiano, dedurre un'idea in qualche modo unitaria del paese, dargli consapevolezza e sicurezza di sé.

In generale, i pur ragguardevolissimi traguardi che l'Italia ha raggiunto nella seconda metà di questo secolo non solo non sono stati in alcun modo assunti come motivo di orgoglio nazionale dall'opinione pubblica del paese e dalla schiera di intellettuali che è alle sue spalle, che per quell'opinione pensa e scrive; non solo essi non sono stati in alcun modo assunti come motivo per la costruzione di una salda identità nazionale, ma, all'opposto, quei traguardi sono stati perlopiù descritti come fragili e inconsistenti, al limite negatori della vera identità italiana.

È significativo che a metterli in questa luce siano stati soprattutto gli intellettuali letterati, estranei per formazione alla prospettiva della modernità, e anzi suoi critici. Ma il successo che è arriso al loro punto di vista si spiega solo con l'effettiva fragilità, con l'immagine di effettiva inconsistenza, che per le ragioni che si sono fin qui illustrate, la dimensione del moderno ha assunto in Italia, e che a propria volta rimanda immediatamente alla fragilità e all'immagine inconsistente della dimensione statale.

La debole identità nazionale italiana è da riconnettere innanzi tutto alla storica debolezza dello Stato: alla scarsa efficienza delle sue strutture amministrative, all'aspetto disordinato e disorganizzato che la sua immagine (e spessissimo, ahimè, la sua realtà anche) sempre si porta dietro, all'assenza diffusa di cultura e valori – dallo Stato stesso promossi e alimentati – che assegnino all'interesse generale, alla legge e al servizio pubblico, un ruolo anche simbolicamente eminente, infine all'assenza o all'esiguità di élite amministrative e statali dotate di autorevolezza e prestigio.

Tutto ciò in Italia non vi è stato – o vi è stato in misura del tutto insufficiente – e la sua mancanza ha avuto una conseguenza decisiva al fine della formazione di un'identità nazionale: l'impossibilità cioè di una sintesi, capace per l'appunto di trasfondere in tale forma nuova gli antichi contenuti dell'identità italiana.

Infatti, come abbiamo avuto noi stessi modo tante volte di notare, l'enorme spessore storico della penisola italiana, la varietà dei suoi quadri ambientali, l'amplissima molteplicità dei rapporti e degli apporti esterni, hanno reso il nostro paese una galassia di esperienze, di tradizioni, di vita, di cui è difficile trovare l'eguale. Ma una galassia non è un ammasso di parti, un'accozzaglia, una caotica presenza eterogenea: è un insieme. Ci sono tante Italie: questo è certamente uno dei tratti essenziali dell'identità italiana – ma è pur vero che esiste un'Italia, che esiste una realtà e un'idea unica di Italia, che tiene insieme e comprende tutte le altre. Il fatto è che la storia ha sì prodotto la molteplice diversità, ma ha prodotto anche l'amalgama. Non c'è parte d'Italia che non abbia avuto rapporti intensissimi con altre parti vicine o lontane della penisola, sicché per quanto possano essere stati numerosi o importanti gli apporti che il Friuli o il Salento, la Valtellina o il Logudoro hanno ricevuto nel corso dei secoli, vuoi dall'Europa vuoi dal Mediterraneo, questi saranno sempre di numero e di rilievo minori di quelli venuti a loro dalle altre terre e città d'Italia.

È proprio questa straordinaria struttura di «rete», così tipica dell'identità italiana, grazie alla quale ogni parte è parte di tutte le altre, e con esse interagisce, è questa natura che fa di tale identità qualcosa di difficilmente definibile (appunto perché tessuta di mille aspetti, di mille umori, immagine rifratta di mille volti e mille storie) ma non per ciò meno riconoscibile. L'Italia non può essere confusa con niente altro, perché ogni sua plaga, è vero, ha assorbito tanti influssi ma di questi la maggior parte, alla fine, sono venuti da altre plaghe della stessa Italia. Catalani e spagnoli hanno certo lasciato la loro orma in Sardegna, ma le grandi chiese romaniche di influsso pisano e lombardo che da Porto Torres ad Oristano, da Ardara a Sassari si stagliano contro i cieli luminosi del maestrale parlano di altre orme più numerose e più profonde. E così, egualmente, nell'aria e nei palazzi di Venezia si potranno certo sentire mille fremiti di Oriente, scorgere mille memorie di Bisanzio, e le sue chiese potranno certo – caso unico nella penisola – intitolarsi a insoliti nomi di santi veterotestamentari e di profeti (Geremia, Zaccaria, Moisè, Giobbe e tanti altri), ma non sarà senza significato se nel 1657 il futuro doge Giuseppe Pesaro, dovendo convincere il Senato a non cedere all'impero ottomano l'isola di Candia in cambio della pace, lo farà scongiurando di non cedere al Turco, a nessun costo, «le chiavi d'Italia»: segno di un'avvertita appartenenza a qualcosa che andava oltre la Serenissima, oltre la grande patria cittadina.

Una rete di influssi, di combinazioni, di prestiti, di contaminazioni, tuttora all'opera con mille varietà di esiti, ma resa possibile dall'esistenza di un unico, antico, terreno comune su cui tutto è costruito: il retaggio romano e quello cristiano-cattolico; le città e la bellezza dei luoghi moltiplicato dalla versatilità dell'arte; una povertà elusa dalla fatica dell'ingegno, talora anche dall'astuzia e dalla forza più ribalde; l'intreccio anche soffocante dei legami tra le persone, e la forza dell'individualità; infine una dura, lunga, divisione tra i gruppi sociali, tra i pochi e i molti.

È l'esistenza di questo comune terreno storico – certo: non presente dappertutto con la stessa misura degli stessi elementi, ma dappertutto, dalle Alpi alla Sicilia, presente sempre con questi elementi – che dà il senso e insieme indica il meccanismo dell'identità italiana: una molteplicità fortissima tenuta insieme da un'origine comune altrettanto tenace, ma in qualche modo occultata dalla sua antichità. Un terreno storico comune, di fecondità straordinaria, da consentire per l'appunto la molteplicità ora detta, nonché le sue mille e mille combinazioni; e insieme anche di straordinaria forza, sì da mostrarsi in grado di riportare tutto a se stesso, di evitare una dispersione irrimediabile, dando una specifica impronta sua, italiana, a tutto ciò che da esso è nato.

L'identità italiana è data dal sovrapporsi di questa molteplicità su questo fondo unico; è una varietà di forme di vita e di esperienze che affondando però le radici in un terreno comune, ha anch'essa alla fine un accento solo, dal momento che comuni ed eguali sono gli elementi che entrano nelle sue pur molteplici combinazioni. Proprio perciò essa sembra debole: perché la parte più importante di questa identità – ciò che per l'appunto è uguale e comune, ciò che è identico, e che conta che sia tale – è la parte nascosta nelle viscere del tempo. Ma il fatto di essere nascosta non significa che non ci sia.

Forse adesso s'intravede con qualche maggiore chiarezza il nodo del problema che travaglia la modernità italiana e insieme – perché sono al dunque la medesima cosa – cosa significhi il problema di una debole, troppo debole identità nazionale. Riuscire a rendere visibile ciò che è nascosto, riuscire a comporre la sfaccettata, molteplice realtà delle molte Italie in un volto solo, che ne salvi le vocazioni così specifiche e gli estri così preziosi, ma che al tempo stesso esprima il fondo unico da cui le une e gli altri provengono, sapendogli dare la necessaria forma moderna: è questa la difficile opera di sintesi che l'identità nazionale italiana è chiamata a rappresentare e a realizzare.

Avere un'identità nazionale degna di questo nome dovrebbe dunque significare prima di tutto rifare nostro il nostro passato, da quello più antico a quello più recente, conciliandoci con esso ed accettando di riconoscerci in esso, senza più la preoccupazione di scartare ciò che ci appare buono da ciò che ci appare meno buono: che è premessa impossibile per una qualunque identità condivisa. Certo, anche nel passato ci furono il bene e il male, ma entrambi sono passati, appunto; non esistono più con le passioni e gli odi che furono allora capaci di suscitare e chiedono solo, perciò, di essere compresi per ciò che vollero dire e seppero fare e per i problemi che ci hanno lasciato.

A risolvere i quali ci servono quello Stato e quelle classi dirigenti che sono – e non possono non essere – il fulcro di una moderna identità nazionale. Questa deve precisamente servire ad organizzare e comporre le molteplici forme della «semplice» identità italiana, in una moderna compagine all'insegna della salvaguardia dell'individuo, della tutela dell'interesse generale, del rispetto delle leggi, sicché quelle forme stesse possano, alla fine, produrre più fecondi indirizzi di vita, alimentare personalità più libere, più complete, più umane, radicare nella collettività un sentimento di solidale benevolenza: possano far sorgere, cioè, quella patria italiana che ancora ci manca.

*Notazioni bibliografiche*

La battuta iniziale di Pasolini è tratta da P.P. Pasolini, *Interviste corsare sulla politica e sulla vita, 1955-1975*, a cura di M. Gulinucci, Roma, Liberal Atlantide Editoriale, 1995, pp. 57-58.

Il problema delle difficoltà per l'Italia di diventare un «paese normale» è stato tematizzato da S. Lanaro, in *Storia dell'Italia repubblicana*, Venezia, Marsilio, 1992, mentre di «costume civico debole e incerto» parla P. Scoppola, in *La repubblica dei partiti. Evoluzione e crisi di un sistema politico 1945-1996*, Bologna, Il Mulino, 1997², p. 430.

La citazione di Labriola in F. De Felice, *Nazione e crisi: le linee di frattura*, in *Storia dell'Italia repubblicana*, vol. 3, t. I, *L'Italia nella crisi mondiale. L'ultimo ventennio*, Torino, Einaudi, 1996, p. 126.

Per cogliere nelle sue esatte dimensioni e significato il deficit di statualità e il ruolo strabordante della politica e dell'ideologia nella vicenda unitaria più che a narrazioni storiche è opportuno rivolgersi a trattazioni di ordine politologico e di storia del diritto pubblico.

Io ho avuto presenti: M. Fioravanti, *Costituzione, amministrazione e trasformazioni dello Stato*, in *Stato e cultura giuridica in Italia dall'Unità alla repubblica*, a cura di A. Schiavone, Roma-Bari, Laterza, 1990; P. Costa, *Lo stato immaginario. Metafore e paradigmi della cultura giuridica italiana tra Ottocento e Novecento*, Milano, Giuffrè, 1986; G. Maranini, *Storia del potere in Italia, 1848-1967*, Firenze, Vallecchi, 1967, e particolarmente ricchi di suggerimenti preziosi i saggi contenuti nella *Storia dello Stato italiano dall'Unità ad oggi*, a cura di R. Romanelli, Roma, Donzelli, 1995. Il problema dello Stato è in qualche modo al centro anche di S. Lanaro, *L'Italia nuova. Identità e sviluppo 1861-1968*, Torino, Einaudi, 1988.

Sull'eccesso di politica nella vita pubblica italiana del secondo dopoguerra ho trovato assai convincenti le indicazioni di A. Pizzorno, contenute nella sua raccolta *Le radici della politica assoluta e altri saggi*, Milano, Feltrinelli, 1994.

Sulla capacità di adattamento delle vecchie appartenenze locali, talora, minutamente locali, ai grandi quadri politico-ideologici della modernità, mantenendo tuttavia tutto il loro spessore e significato particolari, suggerimenti decisivi in G. Gribaudi, *A Eboli. Il mondo meridionale in cent'anni di trasformazioni*, Venezia, Marsilio, 1981.

Circa il problema delle élite nel nostro paese condivido l'impostazione che ne hanno dato L. Ornaghi e V.E. Parsi, *Le virtù dei migliori. Le élite, la democrazia, l'Italia*, Bologna, Il Mulino, 1994.

La citazione sulla permeabilità italiana a ciò che viene dagli Stati Uniti è tratta da S. Gundle, *L'americanizzazione del quotidiano. Televisione e consumo nell'Italia degli anni Cinquanta*, in «Quaderni Storici», XXI, 1986.

# Postfazione

# L'identità di un italiano

Se l'espressione non ricordasse sgradevolmente altre ridicole e millantate progeniture (è chiaro a quali altri celebri «figli» della storia italiana del '900 sto pensando), io e quelli della mia generazione potremmo davvero dirci «figli della Repubblica». Non per nulla – posso garantire l'autenticità del ricordo, sottoposto a suo tempo alle opportune verifiche – la prima scena della mia infanzia di cui conservo memoria è quella di me in compagnia dei miei genitori che in una lunga fila di persone davanti alla scuola di un quartiere romano aspettiamo di entrare. Ebbene, in quella scuola c'è un seggio elettorale per il referendum Monarchia/Repubblica e noi, o meglio mio padre e mia madre, siamo lì in attesa di entrare a votare.

L'inizio di queste pagine, così minutamente e recisamente autobiografiche stupirà il lettore che viene dalla lettura di quelle precedenti, le quali hanno, viceversa, un tono per così dire oggettivo e generale, scandito dai secoli, come si conviene ad una narrazione classicamente storiografica. Il fatto è che questa postfazione vuole essere qualcosa di diverso (e se no, del resto, non si chiamerebbe così). Vuole essere una sorta di ricerca personale dei modi concreti, ma anche dei pensieri, delle emozioni, insomma dei più vari tramiti attraverso cui un italiano, nato più o meno all'alba della Repubblica, ha vissuto in tutti questi decenni l'appartenenza al proprio paese; in che modo egli si è sentito (o non sentito) italiano, associando ciò a quali contenuti, a quali sentimenti. Insomma un'indagine, condotta sul filo della memoria, delle forme e dei contenuti diversi che questa appartenenza è venuta via via prendendo;

ma insieme, anche, di come un italiano intellettualmente addestrato allo studio del passato nel clima degli anni '60-70, ma poi cresciuto e maturato lungo percorsi suoi propri, ha pensato questo passato, lo ha via via fatto – e oggi lo fa – rivivere dentro di sé. A differenza delle pagine precedenti tutto ciò, lo so bene, non è storia. Ma senz'altro è un materiale storico, qualcosa che forse già oggi, ma certamente domani, può costituire un tassello utile per la storia «vera». Una storia, questa, che mi è venuta incontro ben prima che arrivassi al liceo o all'università. Come tanti altri miei coetanei, infatti, le vicende storiche – parlo in special modo di quelle italiane, si capisce – noi le abbiamo respirate in famiglia fin da bambini. Allora, infatti, tra i '40 e i '50, la sera, dopo cena, non essendoci la televisione, nelle case si parlava. Perlopiù riuniti intorno al tavolo da pranzo non si faceva altro che parlare. Parlavano i grandi, naturalmente, e i piccoli ascoltavano. Rivivevano i ricordi, si accendevano per l'ennesima volta le discussioni, e tanto più risultavano avvincenti e vari i racconti in quanto allora le famiglie erano, come si sa, ancora unite e numerose (che un ragazzo o una ragazza quindicenne potesse uscire la sera per conto suo era qualcosa che allora neppure la più fertile fantasia sarebbe riuscita a immaginare); senza contare che per le dimensioni ancora ridotte delle città la gente abitava abbastanza vicina, e quindi intorno a quei tavoli da pranzo erano presenti sempre parecchie persone. La famiglia allargata aveva forse lo svantaggio di essere premessa di serate talora interminabili, ma in compenso assicurava un gran numero di storie e di opinioni.

Inevitabilmente l'argomento preferito di quelle discussioni era la guerra, terminata da pochissimo. Fu così, dunque, attraverso le vicissitudini narrate in prima persona da padri e madri, da zii e da cugini, che cominciai a scoprire l'Italia.

Naturalmente era l'Italia come l'aveva vissuta e la ricor-

dava, ed ora la riviveva nella memoria, l'ambiente sociale a
cui apparteneva la mia famiglia di piccola e media borghesia professionale con le proprie radici nel Mezzogiorno,
anche se ormai trapiantata a Roma. Il racconto di questa
Italia ancora traumatizzata dal cataclisma della guerra,
non risaliva troppo indietro nel tempo. Tutto cominciava
con il fascismo, ma il fascismo non era altro che uno sfondo: né raccontato né tanto meno spiegato. I caratteri del
regime, in specie quelli propri della dittatura, erano dati
per scontati, come una premessa ovvia che non richiedeva commenti o illustrazioni particolari. Così come un dato
ovvio era l'esistenza di un re, fatto solo di rado oggetto di
qualche discussione, giusto quando era presente un mio
zio il quale, unico in famiglia, il 2 giugno si era permesso
di votare per la Repubblica. Era stata una cosa buona o
cattiva il fascismo? La questione, che io ricordi, non veniva
mai affrontata, anche perché cancellata in un certo senso
da quella davvero decisiva: dichiarando la guerra Mussolini aveva commesso un errore catastrofico, errore di cui
portava per intero la responsabilità. (E perciò, doveva de-
dursi logicamente, insieme al suo duce anche il fascismo
meritava in complesso la bocciatura.)

La guerra aveva voluto dire quello che si sa. Mio padre e altri miei parenti stretti, casualmente tutti laureati in
medicina, l'avevano vissuta appunto come ufficiali medici.
Nel racconto dell'odissea del Regio Esercito nei Balcani
e in Russia che ora essi facevano, questo fatto aggiungeva
alla solita menzione circa la disorganizzazione o la mancanza di mezzi della nostra macchina militare, due aspetti
particolari sui quali anche le tante memorie di guerra che
nel prosieguo degli anni ho letto preferiscono in genere
sorvolare. E cioè da un lato il clima di grande disinvoltura
amministrativa, chiamiamola così, che regnava nelle forze
armate – ma che evidentemente era particolarmente visibile nella Sanità a causa della presenza di materiali e generi
di conforto quanto mai appetibili – e dall'altro lato le non

171

eccelse doti di comando e di coraggio personale mostrate troppo spesso da coloro che avevano la responsabilità sul campo. Insomma, a quei giovani tenenti e capitani medici, non guerrieri di professione di certo ma comunque cresciuti nel clima del nazionalismo guerriero fascista, la realtà della nazione in armi si era presentata in una luce ben diversa da quella immaginata: quella di marescialli di fureria traffichini, con inevitabili complicità in alto loco, e quella di troppi ufficiali più interessati alla propria incolumità personale che alle necessità del combattimento. Le vicende dell'armistizio non erano certo valse a mitigare queste impressioni. Il racconto dell'improvvisa dissoluzione di tutto quanto era apparso fino ad allora più o meno solidamente costituito, dell'incertezza e delle disperate anabasi dei giorni del settembre fatale, si rinnovava di continuo e con sempre nuovi particolari nelle serate di quel lungo dopoguerra italiano.

Quegli ex tenenti e capitani non avevano certo per questo cessato di essere imbevuti nel fondo degli ideali della loro gioventù. Ma ora, dopo la guerra, questi ideali venivano mischiandosi, si erano già mischiati, a un ingrediente diverso e anche insolito: a un che di scetticismo antimilitarista che andava ad aggiungersi al crescere di un più generale sentimento di irrimediabile disincanto circa qualunque possibilità, da parte della compagine statale italiana, di esistere mai più in maniera giusta, efficace e responsabile.

Naturalmente non penso che sia possibile generalizzare. Quella che ho tratteggiato, me ne rendo ben conto, è solo una delle molte memorie che le vicende della guerra depositarono nelle menti e nei cuori degli italiani. Quanto diffusa? Una risposta è impossibile ma credo che non si vada troppo lontano dalla verità dicendo che essa è stata più o meno comune a tutta quella parte del paese che per una ragione o per l'altra gli eventi del 1943-45 non ebbero modo di condurre alle forme attive della politicizzazione in auge nel dopoguerra.

In quella memoria c'era l'Italia, c'era molta Italia, ma non c'era la Repubblica. O ce n'era pochissima. Voglio dire che non c'era nessuna delle grandi questioni e delle contese all'insegna delle quali la Repubblica aveva visto la luce. E non c'era la democrazia, naturalmente. Non c'era né come ideale né, tanto meno, come riflessione sul problema del contemperamento dei diritti e dei doveri, dell'efficacia del potere, delle garanzie contro i suoi abusi, o di qualsivoglia altro simile problematico aspetto. Ed è questo il motivo per cui quando cominciò anche per me l'età della ragione quella memoria familiare non solo non mi disse più niente, ma la sentii sempre più lontana dalla realtà che mi circondava e sempre più estranea ai convincimenti che mi venivo facendo. Credo che ancora una volta la mia vicenda non abbia nulla di speciale ma si confonda con quella di una generazione. Accadde semplicemente che uscendo dal chiuso della famiglia respirammo un'altra aria, ascoltammo altre voci. L'aria e le voci di un paese che diventava faticosamente libero e cominciava a intravedere la modernità. Adolescenti, si può dire quasi ancora bambini, ci fermammo incuriositi davanti ai palchi dei comizi nelle piazze primaverili, imparammo a conoscere i nomi e i fatti della politica attraverso i manifesti sui muri, apprendemmo dalla radio (ah, la passione con cui fu seguita sul Terzo progamma una trasmissione come il «Convegno dei Cinque»!) che cosa volesse dire un dibattito tra opinioni diverse; e nelle aule scolastiche sedemmo sul banco con chi veniva da un ambiente che non era il nostro, con chi, magari, quando veniva l'ora di religione, usciva dall'aula perché – come si diceva – era «esentato». Anche in quel modo imparammo qualcosa che non sempre ci era stato insegnato.

La scuola: poche cose sono state altrettanto decisive nel formare la mia, la nostra identità di italiani. Nella Roma della fine degli anni '40, non ancora immemore della guerra, la scuola volle dire innanzi tutto una lezione di povertà austera, di serietà e di disciplina. Mi chiedo fino a che punto quell'atmosfera non ci sia rimasta in qualche modo dentro come una specie di modello ideale di una vita collettiva e di istituzioni pubbliche che in verità, ahimè, di modelli ne hanno avuti sempre ben altri. La signora Moschini – questo il nome della mia indimenticabile maestra della Scuola Elementare Principessa Mafalda di Savoia – c'inchiodò per lunghe settimane sui banchi a riempire pagine su pagine di «aste», ogni pagina del quaderno circondata da un'appropriata cornice di quadratini bicolorati. Immagino l'orrore che desterebbe ai nostri giorni nell'animo d'ogni pedagogista o genitore «democratico» la sola idea di quei bambinelli obbligati ad una tale corvée. A me e ai miei compagni c'insegnò però a tenere la penna in mano, a tracciare linee dal tratto dritto e fermo, a non fare macchie sul foglio (perché allora si usava l'inchiostro! ricorda ancora qualcuno che cosa fosse l'*inchiostro*, con la micidiale combinazione di pennino, cannuccia, puliscipennino e carta assorbente?).

Questa disciplina della manualità mi appare oggi come la metafora della più generale, rigida disciplina che quella scuola intendeva inculcare. Senz'altro era così. Fino al liceo, ad esempio, a nessuno di noi sarebbe venuto mai in mente, per nessuna ragione, di rispondere meno che rispettosamente agli insegnanti, di non alzarci in piedi quando qualcuno di loro entrava in classe, di non obbedire alle sue ingiunzioni, o di lordare – figuriamoci poi mettere fuori uso – una qualunque parte dell'edificio scolastico o delle sue attrezzature. La scuola, questa scuola – non credo di sbagliare – ha rappresentato per quelli della mia generazione una sorta di riassunto (simbolico ma insieme reale) di ciò che voleva dire la cosa pubblica e per estensione lo Stato, che cosa voleva dire far parte di una collettività tenuta insieme da certe regole e governata da chi ha come primo suo compito quello di applicarle e farle rispettare.

Certo, alle appartenenze e alle regole ci si può sottrarre, ci si può ribellare. Ma per farlo è necessario che esse esistano e facciano sentire la propria presenza, che ci siano. L'identità degli italiani cresciuti immediatamente dopo la guerra è stata segnata in profondità da questa polarizzazione regole/ribellione. E così, dopo parecchi anni quella scuola costrittiva, quel suo sistema di saperi astratti, quella sua atmosfera d'impersonale uniformità, avrebbero spinto molti alla rivolta, avrebbero prodotto insofferenze tumultuose. Insieme a ingredienti ideologici di altra origine sarebbero stata causa perfino d'inconsulte violenze. Ma la Repubblica, tra tante cose, è stata anche un nutrito campionario di eterogenesi dei fini. Trascorsi altri anni, infatti, e placatasi la tempesta, è poi accaduto che quegli stessi che l'avevano provocata spesso siano stati, proprio loro, i più pronti a capire quanto sia importante che ci siano istituzioni degne che funzionino, quanto conti l'esistenza di uno spirito pubblico orientato alla legalità, cittadini animati da un qualche senso civico. Quanto siano importanti cioè quelle cose che la loro, la nostra scuola, suggeriva inconsapevolmente ogni giorno praticando l'accertamento del merito, obbligando all'adempimento del proprio dovere, ed anche – perché no? – inalberando sui propri grigi edifici gli appellativi consacrati della tradizione nazionale.

Per altri ci saranno stati Giuseppe Parini o Massimo d'Azeglio, Michelangelo, Galluppi o Genovesi. Per me, invece, dopo Mafalda di Savoia ci furono Ippolito Nievo alle medie, e infine al ginnasio-liceo Goffredo Mameli. Così, anche così, imparammo senza accorgercene ad essere italiani e che cosa volesse dire. Non è del resto che mancassero altre occasioni. Si cominciava alle elementari. La signora Moschini, ad esempio, aveva l'abitudine di dettarci quelli che lei chiamava i «medaglioni»: brevi profili biografici di «grandi italiani» (sulla cui esistenza allora nessuno pareva nutrire dubbi: da Galilei a Mazzini), che poi noi dovevamo imparare a memoria (ebbene sì: a memoria!). Così come poi imparammo a memoria gli immortali *Sepolcri* che come si sa (o si sapeva) «a egregie cose il forte animo accendono», invocammo con Giacomo Leopardi «l'armi qua l'armi», salutammo le «giornate del nostro riscatto» e fummo tenuti a rattristarci per «la fatal Novara». Era un sentimento della patria paludato, nobilmente antico, un po' polveroso, estrema eredità dell'Italia liberal-nazionale e del suo liceo cari a Giovanni Gentile. Ma incarnato com'era – e come ci veniva offerto – nella letteratura e nella poesia, esso recava in sé un *pathos* di verità. Così decisamente fuori dal tempo, quel sentimento non poteva certo farci diventare nazionalisti. E infatti non lo siamo diventati né allora né poi. Ma si depositò nella nostra mente e nel nostro universo emotivo come un lascito a futura memoria. Qualcosa che poi sarebbe ricomparso come esigenza, come nostalgia, come problema. Per il momento, all'inizio degli anni '60, esso ebbe una parte non secondaria, credo, nel renderci in qualche modo partecipi della memoria resistenziale.

Questa memoria, in realtà, fu solo il cinema che ce la diede. Della Resistenza, infatti, io a scuola non seppi mai nulla e all'ambiente familiare in cui ero vissuto – un ambiente tutto romano-napoletano – la lotta di liberazione era sempre apparsa tanto militarmente irrilevante quanto un'occasione in cui come in nessun'altra si erano manifestati i vizi pubblici e privati più tipici del carattere nazionale: dall'opportunismo al voltagabbanismo, al maramaldismo.

Era sicuramente l'immagine in larga parte condivisa da tutta l'Italia moderata piccolo e medio-borghese, specialmente dall'Arno in giù. Cominciare a mutarla specialmente presso le giovani generazioni fu, come dicevo, merito del cinema e di quella particolare istituzione chiamata cineforum. Fu in quelle sale miserelle, piene di fumo e dai sedili scomodissimi, ricavate alla meglio quasi sempre in locali improbabili, fu lì che tanti della mia generazione si sono commossi fino a restare senza fiato vedendo per la prima volta *Roma città aperta*. Più o meno con il medesimo spirito vedemmo in quegli anni – anche se non al cineforum – *Le quattro giornate di Napoli*, *Il federale*, *Gli anni ruggenti, Tutti a casa*: un insieme di film girati allora sull'onda del cambiamento di clima politico prodotto dall'incipiente centro-sinistra e che in vario modo raccontavano del fascismo e di quanto era successo tra il '43 e il '45 o subito dopo. Lo facevano, quale più quale meno, con una certa dose di retorica, naturalmente, tagliando le cose con l'accetta. Ma fu attraverso quelle trame e quei personaggi, se ricordo bene, che ci venne incontro un'idea d'Italia resa finalmente attuale e viva, fu grazie a quei film che potemmo legare in qualche modo al nostro presente il nobile patrimonio culturale acquisito durante il liceo e tutto intriso di passato. Fu in questo modo che potemmo cominciare a riconoscerci in possesso di un'identità nazionale moderna, che avvertimmo dentro di noi qualcosa che poteva dirsi – seppure allora nessuno osasse dirlo tale – patriottismo. E fu dunque sempre attraverso il cinema che per la prima volta facemmo la tara, integrammo e correggemmo, il discorso familiare sul fascismo e la guerra vedendone tutti i limiti e le omissioni.

Beninteso i sentimenti e i pensieri che «quel» racconto della Resistenza – di una Resistenza, come si capisce adeguatamente rivisitata, filtrata e depurata grazie ad appropriate sceneggiature – poteva risvegliare in un giovane negli anni '60 non avevano molto a che fare con ciò che la Resistenza era stata in realtà, e quindi con il giudizio storico da darne. Dirlo è banale, ma l'esperienza mi ha insegnato quanto sia difficile far intendere, specie a un pubblico di tifosi impenitenti qual è il pubblico italiano, che il medesimo avvenimento storico può tranquillamente essere collocato e giudicato su piani diversi e pur sempre legittimi. Che per esempio la Prima guerra mondiale può essere benissimo interpretata e vissuta per un verso come un'inutile strage ma per un altro verso, e allo stesso tempo, anche come una grande impresa nazionale.

La Repubblica, comunque, era fino ad allora restata assente dal nostro orizzonte, e con essa in certo senso anche la democrazia, intendendo con questa parola l'insieme di vicende e di emozioni che essa aveva rappresentato per il paese. Grazie al racconto cinematografico e al suo *epos* un po' forzato, cominciammo invece a sentire la democrazia e la Repubblica come cose che ci appartenevano, come cose anche nostre. Credo che si debba anche a questa lontana esperienza il mio stupore attuale (in realtà dura da parecchio tempo) ogni volta che mi accorgo che chi oggi ha vent'anni quasi sempre non ha visto neppure uno dei grandi film che hanno fatto la storia del nostro cinema, non conserva dentro di sé nessuna delle emozioni che le loro scene memorabili hanno depositato nell'immaginario di quelli della mia generazione. In un paese che non ha prodotto alcuna vera letteratura nazional-popolare il cinema ne ha rappresentato una sorta di surrogato. Ha raccontato non solo la storia della penisola – la grande storia così come quella quotidiana – ma anche i tipi umani e sociali, le città, i luoghi della scena italiana. Ci ha fatto conoscere a noi stessi.

La stessa cosa, con le debite differenze, può dirsi per la televisione: almeno per quella che si vide fino agli anni '70. In questo ruolo del cinema e della televisione c'è molto probabilmente qualcosa che oltrepassa il dato di una stagione sia pure importante della nostra esperienza collettiva. È come se in obbedienza ad una sorta di vocazione profondamente iscritta nella nostra identità culturale, l'immaginario italiano non amasse troppo nutrirsi delle idee astratte, dei concetti generali, ma preferisse piuttosto poggiare sulla concretezza della vista e delle immagini; come se esso preferisse anteporre alla forma razionale espressa dal linguaggio il dato sensibile della vita e della natura. Forse abbagliato e condizionato dalla singolare bellezza del paesaggio, il nostro è in larga misura un immaginario visivo, che non a caso ha dato luogo ad una lunga, gloriosa, e multiforme tradizione pittorica e in genere iconica. A loro modo l'immagine filmica e televisiva italiane sono state le eredi di questa tradizione.

Parlo di tutto ciò perché il tramite delle immagini, dell'arte di costruirle, di comporle e di farle vivere, la dimensione della rappresentazione, hanno avuto una parte non piccola, mi pare, nel formare dentro di me il sentimento d'appartenenza al paese al quale appartengo. Una patria è innanzi tutto un paesaggio: una città, una cerchia di colline, una marina, di cui ci sentiamo parte perché li conosciamo, ne sappiamo la storia, sappiamo a che cosa nei secoli quei luoghi hanno assistito. Forse perché i miei primi soldi dopo la laurea li ho guadagnati occupandomi della redazione del bollettino di Italia Nostra, fatto sta che da allora la distruzione della penisola che gli italiani da decenni perseguono con zelo inesausto non cessa di apparirmi di una stupidità tanto criminale quanto autolesionista.

Che essere italiano significasse anche questo rapporto con la scena fisica del proprio paese molti della mia generazione l'hanno appreso dall'abitudine – un tempo diffusa in certa borghesia piccola e meno piccola – di far conoscere ai propri figli città e luoghi della penisola non appena se n'avesse la possibilità. Adesso non è più così. Di recente, in un'università del nord dove ho insegnato mi è capitato, ad esempio, d'incontrare studenti i quali conoscevano almeno la metà, a dir poco, delle capitali europee; che ogni estate si spostavano ai quattro angoli della terra, ma che in vita loro non si erano mai spinti a sud di Roma, e talvolta neppure a Roma. Giovani studenti italiani che non erano mai stati a Napoli, a Castel del Monte, a Palermo. Invece, l'Italia delle ultime Topolino e delle primissime 600 che si mise in movimento sul finire degli anni '50 era ancora convinta che meritasse far conoscere ai suoi giovani figli Firenze, Venezia, la Sicilia. Certo, era tutto molto stereotipato. I luoghi visitati erano perlopiù quelli della vulgata turistica. Ma anche così era pur sempre un prendere contatto con qualcosa che ci riguardava, che sentivamo «doveva» riguardarci: perché ciò che in quei luoghi era accaduto era accaduto in qualche modo anche a noi, ciò che quei luoghi erano rappresentava una parte di noi stessi. Era dunque, quel muoversi attraverso la penisola, un aprirsi a una dimensione condivisa da altri, comunque diversa da quella propria, e insieme, a suo modo, un farvi ingresso. Di un viaggio fatto con i miei per raggiungere da Roma le Dolomiti – doveva essere a un dipresso intorno al '55 – ricordo non molto dell'impressione che mi fece Venezia; molto di più, invece, l'impressione provata attraversando il delta del Po che ancora recava visibilissime le tracce di una disastrosa alluvione di un inverno precedente. È difficile a dirsi oggi, ma mentre la Topolino di famiglia passava su un ponte di barche nel mezzo di quel paesaggio devastato, ritornandomi alla mente le radiocronache drammatiche che avevo ascoltato a suo tempo, rivedendo nella memoria le foto di tutta la povera gente in fuga pubblicate qualche mese prima sui giornali, ripensando alla raccolta d'indumenti che avevamo fatto nella mia come in tutte le altre scuole del paese, avvertii per la prima volta – naturalmente nella maniera incerta e confusa con cui può farlo un adolescente – che cosa vuol dire quel sentimento di vicinanza e di partecipazione emotiva, di comprensione e di trasporto immediati, che quando si tratta della vita e della morte sorge più naturale e spontaneo verso chi parla la nostra stessa lingua, verso chi è parte della nostra stessa storia. Giudichi chi vuole queste parole consumate e retoriche. Per molto tempo anche io le avrei giudicate così. Pur continuando a sapere dentro di me, però, che esse corrispondevano, e corrispondono, ad un dato elementare di verità. Adesso so anche che se questo dato per un qualunque motivo viene meno, allora le collettività umane non sono tenute più insieme da niente, prima o poi il legame che le tiene insieme s'incrina, e gli Stati si sfasciano.

Avrei anche io, come ho detto, giudicato quelle parole consumate e retoriche per una ragione che molti lettori avranno subito immaginato. Perché di lì a poco anche io sarei diventato «di sinistra». Sì, noi «figli della Repubblica» siamo stati «di sinistra». Insieme alla scuola e a quanto lì abbiamo cominciato ad apprendere, la «sinistra» è forse la cosa che più è valsa a determinare ciò che poi siamo stati e, chissà, forse ciò che siamo ancora oggi.

Quello che ho appena detto, lo so, solleva una montagna di questioni spinose, irte d'infiniti, possibili equivoci. Ma si tranquillizzi il lettore: qui non intendo affrontare né le une né gli altri, tanto meno addentrarmi nelle precisazioni, e nei distinguo del caso. In queste pagine cerco soltanto di raccontare un itinerario biografico, lasciando al lettore il giudizio che gli spetta. Ho voluto semplicemente dire, dunque, che dall'inizio dei '60 ai primi anni '80, cioè per tutta l'epoca in cui mi sono considerato e detto di sinistra (allora come oggi per essere di sinistra bastavano qui da noi due semplici condizioni: dirsi tale e non violare alcuni tabù sottoponendoli a una critica pubblica. Per il resto si poteva fare o dire in pratica qualunque cosa) non mi è mai capitato di incontrare testi o personaggi significativi che toccassero in modo esplicito il tema del vincolo nazionale o della solidarietà che comporta avere una medesima patria. Di queste cose, come si ricorderà, cominciò a parlare a sinistra un certo Bettino Craxi: con quali effetti è altrettanto stampato nella memoria di tutti.

Diventai di sinistra per le solite ragioni di tutti quelli che in quel tempo avevano vent'anni. Per imitazione di amici, perché la cosa si presentava comunque con i colori attraenti della diversità e della minoranza, perché spinto da un sentimento non voglio dire di rivolta, ma di protesta senz'altro sì. Di protesta contro i padri veri, come è sempre accaduto da che mondo è mondo, e contro i padri istituzionali dell'università o dell'establishment governativo e sottogovernativo che affollavano gli spaventosi dieci minuti di apertura del Telegiornale dedicati, allora come oggi, ai riti dell'ufficialità. Se in questo momento mi si chiedesse quale fosse il contenuto vero di questa protesta, dovrei riconoscere che alla fin fine si trattava di qualcosa che riguardava lo stile. Sì, lo stile. Non sono stato certo il solo a vederla o sentirla così. Sono sicuro che in tanti, tra i giovani (e anche i meno giovani) di allora, siamo diventati di sinistra per una ragione essenzialmente stilistica. Lo stile adottato dalla sinistra, i modi e le mode che essa in qualche modo incarnava e divulgava, ci sembravano più attraenti per due ragioni principalmente: perché erano moderni e perché erano eleganti. Il fatto è che sullo fondo *snobbish*-altoborghese trapassato dai vecchi salotti liberali ambrosian-subalpino-partenopei nell'*inner circle* dei giovani togliattiani, che in quei salotti spesso avevano mosso i primi passi, la sinistra era stata capace d'innestare – nel tratto, nell'abbigliamento, nel linguaggio – una disinvoltura di tono popolaresco, una spigliatezza briosa, fatte apposta per conquistare. Nella sinistra eleganza e modernità si mischiavano; e il tutto, come se non bastasse, all'insegna della cultura. Era mai possibile resistere? Io e molti come me non ci riuscimmo. La sinistra fu la prima cosa moderna che incontrassimo; esserne parte la prima cosa moderna che facessimo. Decidemmo dunque di essere di sinistra e (per quanto possibile) moderni ed eleganti. Era moderno ostentare i nuovi prodotti di gran voga del primo *casual* anglosassone (jeans, montgomery, ecc.); era elegante portare calzini lunghi; era moderno (oltre che indubbiamente piacevole) avere rapporti tra i sessi svincolati dalle vecchie regole; era elegante disdegnare Mike Bongiorno; era moderno reclamare libertà dai vincoli familiari, andare in pizzeria e comprare gli Oscar Mondadori nelle prime librerie Feltrinelli; era elegante andare al Festival di Spoleto; era moderno fingersi adulti e magari marxisti, comunisti o, se non proprio, perlomeno progressisti. Lo so, oggi lo so bene: si trattava di tre ambiti di cose alquanto (o assai) diversi. Eppure per molto tempo non ci sembrò che tra di loro ci fosse alcun abisso insuperabile: tanto è vero che in una quantità di casi il passaggio dall'uno all'altro fu del tutto naturale.

Oggi a me per primo sembra impossibile che agli occhi

di qualcuno il marxismo, e tanto più il comunismo, incarni la modernità; e che si accetti senza beneficio d'inventario la loro parentela, anziché la loro contrapposizione, rispetto al pensiero democratico o liberaldemocratico che sia. Ma nell'Italia di allora, e fino a tutti gli anni '70, le cose andavano diversamente. E non soltanto a causa dell'abilità che a suo tempo aveva avuto Togliatti nel rivestire il Partito comunista di panni illuministici e nazional-riformatori. Ma anche, e forse soprattutto, a causa di tanti singolari legami di parentela, imprestiti e confluenze anomale, che fin dall'inizio si erano verificati nella vicenda ideologica italiana (per esempio tra chi prima della Grande guerra era stato di «destra» alla Croce e chi poi era stato di «sinistra» alla Gobetti, tra chi era stato democratico alla Mazzini e chi qualche decennio dopo si era ritrovato antidemocratico con Mussolini), vicenda ideologica nella cui alchemica sintesi costituzional-antifascista noi giovani eravamo ora invitati perentoriamente a identificarci.

Il fatto è che anche da parte di coloro che ai nostri occhi avevano l'autorevolezza dei maestri, di questa vicenda così complicata e ambigua perlopiù si preferì a lungo non parlare. Molto a lungo. A quello che oggi mi appare come un generale oscuramento del passato non si sottraeva neppure un giornale di cui diventai fedele lettore appena misi piede all'università, «Il Mondo». C'è bisogno di celebrare per l'ennesima volta l'intelligenza e l'impeccabile pedigree democratico di coloro che settimanalmente lo redigevano e del gruppo che vi gravitava intorno? Costituivano un circolo di «veri signori», ma anche di «veri signori» che «sapevano tutto». Sembrava però che preferissero darlo per scontato, al massimo mormorarlo a mezza bocca, evitando di entrare troppo nei particolari. Loro sapevano, e tanto bastava. Qualche anno fa mi è capitato di leggere la corrispondenza tra Salvemini e Rossi – due colonne del «Mondo», come si sa – e di chiedermi: ma perché tante delle cose di queste lettere, tante notizie, tante osservazioni e giudizi illuminanti, sono rimasti racchiusi in questi fogli e non sono diventati interventi, articoli, saggi? È accaduto di conseguenza – lo dico con il tono più sommesso possibile – che «Il Mondo» riuscisse, sì, ad animare il dibattito politico, ma non altrettanto quello più vasto ideologico-culturale. Qui esso preferì perlopiù giocare con eleganti risposte da fondo campo piuttosto che con audaci e ficcanti incursioni sotto rete: finendo così per rappresentare quasi più una lezione di stile che di contenuti.

Per noi il passato italiano rimase dunque imprigionato in una versione riveduta e corretta nella quale tutti i conti tornavano e dove tutti i salmi finivano in un «gloria» compunto, di obbligata ispirazione demo-marx-progressista. E siccome nell'Italia di sinistra di allora la componente «marx» era da ogni punto di vista molto più forte di quella «demo», non meraviglia che anche la mia generazione, in un primo tempo, seguisse in grande maggioranza la corrente generale.

Per me, comunque, la sinistra volle dire anche un rapporto più intenso con l'Italia, della quale essa era pressoché la sola, allora, a fornire una vera narrazione. Era una narrazione dove la facevano da padroni due attori, come si sa: gli intellettuali (in tutte le loro più varie accezioni) e le classi popolari. La prima cosa mi suonò come un ulteriore, irresistibile, invito ad arruolarmi. Quanto alla presenza del secondo attore, costituì un acquisto prezioso, una lezione destinata a durare. Certo, avrei poi scoperto che di popolo e di classi popolari avevano parlato anche Alfredo Oriani, anche Gioacchino Volpe, tanto per fare i primi nomi che mi vengono alla mente. Ma imbattersi in essi e nei loro libri era allora impossibile. E poi la narrazione di sinistra della storia nazionale era carica di un *pathos* morale, di una certezza dei ruoli e delle prospettive, che soprattutto agli occhi di un giovane sembravano attestarne una validità difficilmente confutabile. Nulla di tutto ciò era destinato a rimanere, naturalmente, e quegli intellettuali e quel popolo sono scomparsi per sempre: ahimè non sostituiti da niente. È rimasta però la lezione di cui dicevo sopra. La lezione che le idee contano, che chi non ha idee può forse avere il potere ma di lui certamente non resterà nulla; e poi è rimasta l'attenzione per l'«umile Italia» e per i carichi terribili che la storia ha posto sulle sue spalle, la simpatia per le sue ragioni e le sue lotte, infine la convinzione che la vicenda nazionale italiana avrà sempre qualcosa di irrisolto, e dunque di precario, fintanto che il lato oscuro che essa reca in sé – popolato sia di luoghi geografici che sociali – non sarà portato alla luce di una storia nuova.

A mano a mano però che le cose andarono avanti, a mano a mano che per tanti di noi aumentarono le letture e s'allargò e si precisò l'impegno politico, i conti, com'era naturale, cominciarono a tornare sempre di meno. Nacquero curiosità nuove. Sorsero dubbi e domande. Perlomeno da un punto di vista intellettuale e culturale (peraltro decisivo in quella circostanza), gran parte di quanto poi è stato «il '68» è nato precisamente da qui, da questa tensione revisionistica – posso chiamarla così? – nei confronti della vulgata dominante a sinistra. Il primo, autentico e consapevole revisionismo storico-ideologico del dopoguerra italiano – naturalmente anch'esso ostracizzato e vilipeso a suo tempo come poi tutti i successivi, anche se si preferisce dimenticarlo – il primo in cui mi sono imbattuto, è stato nei primi anni '60 quello dei «Quaderni Rossi», della «Rivista storica del socialismo», di *Scrittori e popolo*, un libro che mi è rimasto caro, anche se con il suo autore ho oggi assai poco in comune. Certo, quel revisionismo era pervaso da una fortissima unilateralità e segnato da un qual cupo radicalismo, come poi si vide quando avrebbe dato frutti anche assai avvelenati. Ma personalmente la prima cosa non mi dispiaceva affatto, la seconda mi sembrava (sbagliando grossolanamente) poco rilevante. Per chi non se ne fece avvelenare le sue pagine costituirono, comunque, un momento cruciale di rottura, e guardando retrospettivamente consistette soprattutto in ciò la loro importanza. Il '68, che per una parte ne fu una conseguenza, significò anche lo straordinario rafforzamento di questa confusa ma acuta volontà di riesame, di riscoperta culturale di cose troppo in fretta dimenticate, di questa sensazione che nel passato ci fossero molte più cose (e diverse) di quanto fino allora saputo o immaginato. E ciò non era per nulla in contrasto con l'ansia di novità e di svolta che pure caratterizzava, e in misura tanto ampia e profonda, quella stagione italiana. Fu ad ogni modo così, almeno credo, anche sull'onda di questi desideri e di queste tensioni, che si decise definitivamente a che cosa mi sarei dedicato nella vita: alla storia.

No, non c'era e non c'è contraddizione tra la voglia di cose nuove e l'interesse per il passato. Se la modernità vuole essere tale davvero, se vuole essere la rottura verso il futuro, essa lo può fare solo legittimandosi con la creazione di un nuovo albero genealogico del presente. È obbligata cioè a rifare il passato. E a questo precisamente serve la storia, specialmente la storia politica (ma certo non solo lei): a riscrivere ogni volta ciò che è accaduto dal punto di vista di ciò che sta accadendo. E insieme anche a pensare il presente, a coglierne il senso e le misure effettive, senza farsi incantare da ciò che esso pensa di se stesso. Fu così che la generazione cui appartengo si vide assegnato in vari modi il proprio destino intellettuale: quello di essere condannata insieme alla storia e alla modernità.

Come neofiti appassionati vivemmo, tra gli anni '60 e i '70, l'ultima stagione nella quale fu ancora possibile credere nel progresso e nella bontà dei tempi nuovi. Era in Occidente l'ultima stagione dell'illusione modernista, ma in Italia era anche la prima. Per la prima volta, infatti, tutti i miti e le speranze racchiusi in quell'illusione, sospinti dal vento impetuoso della crescita dell'industria e della ricchezza, si trovarono ad avere nel nostro paese una diffusione di massa, piegando resistenze, liberando energie individuali e collettive, producendo mutamenti irreversibili.

L'ovvia sintonia tra giovani e modernità non apparve mai così forte come in quegli anni. Tutta l'Italia voleva essere o almeno apparire giovane: con i pantaloni a zampa d'elefante, sessualmente emancipata, pensosamente marcusiana. Tutt'intorno i paesaggi cambiavano, comparivano oggetti e pensieri sempre nuovi, il futuro già sembrava sul punto di divenire presente.

Naturalmente, come si sa, proprio il futuro si sarebbe incaricato ben presto di rendere ogni cosa assai più ambigua e contraddittoria; di notificare che né il regno dell'abbondanza e della libertà né l'alba corrusca della rivoluzione erano per il momento all'ordine del giorno. Ma il sentimento formatosi allora doveva dare origine, ancora una volta, a qualcosa destinato a durare e ad accompagnare il lungo itinerario di una generazione. È un sentimento che, se non m'inganno, non può essere definito meglio che come un'oscura disposizione all'inquietudine. Vi si mischiano elementi all'apparenza disparati: la difficoltà a riconoscersi fino in fondo nei ruoli personali e sociali tradizionalmente intesi; la prontezza a cogliere ciò che dovunque si agita e rompe prendendo vesti e voce nuove; l'insofferenza per gli assetti gerarchici consolidati, un fondo tenace di scontentezza. È stata questa oscura disposizione all'inquietudine a stabilire una barriera invalicabile rispetto ad una posizione conservatrice. Come da un certo punto in avanti noi figli della Repubblica non potemmo più dirci rivoluzionari, marxisti, comunisti o che altro – personalmente dopo un altro tratto di tempo io non sarei più riuscito a dirmi neppure progressista o di sinistra – allo stesso modo non abbiamo potuto neppure essere conservatori, dei veri conservatori intendo. Per essere tali, infatti, c'è bisogno di credere nella solidità e nella positività di quanto sta intorno o perlomeno dietro le spalle. Ma come potevamo noi credere in qualcosa del genere? Ed è forse poi cessata quella difficoltà? Abbiamo dunque dovuto accontentarci di essere semplicemente dei democratici: soltanto dei democratici, più o meno convinti.

Lo siamo, lo sono diventato, bisogna riconoscerlo, anche grazie all'aiuto potente ricevuto dal terrorismo, dall'eversione politico-terroristica. Quel po' o quel tanto di patriottismo repubblicano che è in noi è lì, credo, che ha preso forma e si è coagulato. Ed è sempre lì che affonda le radici quel sentimento di *pietas* per il proprio paese, quella benevolenza tollerante per le sue genti e i loro tanti difetti, sentiti però come imprescindibile parte pure di se stessi, quella consapevolezza di un vincolo che lega tutti obbligando comunque al rispetto di ciò che la maggioranza pensa e decide, che sono la sostanza del patriottismo democratico, se posso chiamarlo così, di cui sto parlando. Ho il ricordo preciso di quando esso, sia pure confusamente, si affacciò per la prima volta dentro di me. Forse ne ho già accennato altrove: fu nella seconda metà dei '70, davanti all'Università di Roma occupata dalle bande dell'Autonomia. Era un sabato pomeriggio, uno di quei sabati romani di allora regolarmente punteggiati di cortei, scontri, violenze, auto incendiate. Gli «autonomi», per l'appunto, stavano per uscire dalla Sapienza per le vie della città, e la polizia si apprestava ad affrontarli. Io passavo per caso e mi fermai a guardare. In un'atmosfera che si percepiva quasi fisicamente carica di tensione, con lentezza, in uno strano silenzio, i poliziotti si calcavano gli elmetti sulla testa, imbracciavano gli scudi di plastica, molti – con un gesto che s'indovinava fuori del regolamento bensì tutto privato – si mettevano un fazzoletto sulla bocca in previsione dei probabili lacrimogeni. Erano tutti molto giovani, non avevano nessuna posa guerresca o minacciosa. Visibilmente avevano paura. Ebbene, in quel momento io sentii di esser dalla loro parte: non perché pasolinianamente «figli del popolo» o per compassione, ma perché affrontando gli «autonomi» essi stavano difendendo anche me, uno Stato e delle istituzioni che erano anche le mie.

Tutto ha preso vie tortuose, tutto è stato molto complicato. Quella stessa giovane generazione che nei '60 era stata conquistata alla modernità – modernità che sia pure adattandosi alle circostanze dei luoghi alla fine arrivò, riportando a suo modo la vittoria – si trovò infatti anche ad essere l'ultima testimone del mondo di ieri. Dell'Italia che dietro le porte delle vecchie case resisteva da tempo immemorabile nelle sue consuetudini familiari, nella tradizione dei sentimenti, negli usi accreditati del mondo, nelle forme dei ruoli e dei doveri; in non estinti ideali circa la nazione e lo Stato. Tutto ciò aveva ormai per più versi le ore contate e infatti ben presto nessuna di quelle cose sarebbe più riuscita ad essere rappresentata in modo culturalmente accettabile, ad assicurarsi una sopravvivenza che non fosse residuale. Presi dal desiderio di entrare nel mondo nuovo, e obbedendo a ciò che comandavano i tempi, io e tanti al pari di me demmo una mano non trascurabile nell'avviare all'estinzione le cose di cui ho appena detto. Anche se dentro di noi, che ne avevamo visti gli ultimi sprazzi di vita vera, a lungo esse continuarono e in qualche modo continuano ad esistere accendendo talora subitanee nostalgie.

Non a caso furono la scuola e la famiglia – cioè i due principali luoghi d'incontro tra le generazioni – le arene elettive di quella facile opera di annientamento durata per tutti gli anni '70.

Nei conflitti che ne nacquero, che erano insieme individuali e collettivi; in quella temperie che era insieme culturale e politica, ideologica ed emotiva; tra ansia di moderne libertà e vagheggiamenti utopici, tra retaggi di educazioni autoritarie (più o meno) e di ottime (più o meno) scuole entrambe rinnegate con il pretesto di volerle migliori, fu in questo confuso accavallarsi di idee e di sentimenti, tra nuove opportunità e antichi vincoli, che presero forma la prima generazione dell'Italia repubblicana e la sua identità. La mia generazione. E con lei prese forma e vita – e soprattutto si radicò largamente – quello che potrebbe chiamarsi il «modello di pensiero» repubblicano, destinato a durare fino ad oggi. Cioè l'insieme delle narrazioni culturali, dei simboli e dei referenti ideali, dei valori politici e delle modalità del discorso pubblico, che da allora costituiscono una parte essenziale del tessuto connettivo del paese. La prima ed autentica *koiné* repubblicana nacque da lì, dal '68. Ma lungi dal rappresentare l'esito felice di un processo, essa segnò, viceversa, l'inizio di un lungo e tormentato itinerario.

Il '68, infatti, era destinato a modellare il quarantennio successivo, incontrandosi sì, ma più spesso (e magari sotterraneamente) scontrandosi, con l'altro grande spartiacque della storia del Novecento italiano: il '43-45. Il motivo di questo scontro, che dura irrisolto tuttora, e nel quale mi sono trovato ad avere una piccola parte con le cose che ho scritto, si comprende forse meglio se si pensa al Risorgimento. La frattura risorgimentale fu uno straordinario intreccio di rivoluzione politica e insieme di rivoluzione culturale. Assai diversamente andarono le cose un secolo dopo allorché, viceversa, la frattura del '43-48 fu tutta, e intrinsecamente, di natura ideologico-politica. La Repubblica nata dalla Resistenza e dalla Costituzione fu solo una Repubblica politica. Quando essa nacque, e per parecchi anni dopo, la mentalità, la cultura e l'antropologia del paese, o perlomeno della sua maggioranza, avevano ancora lo sguardo rivolto al passato, ad un paese antico e diverso. Fu solo con l'anno fatidico, con il '68, appunto, e dunque con la mia generazione, che simbolicamente le due Italie cominciarono in qualche modo a riavvicinarsi e che concretamente cominciò a porsi questo problema nel quale siamo tuttora immersi: da un lato riportare le istituzioni alla realtà del paese rinnovandole, rinnovando magari, perché no?, anche la Costituzione, dall'altro radicare realmente negli italiani lo spirito e i doveri che esse rappresentano.

Ma gli anni ormai erano trascorsi, e far combaciare l'antico quadro istituzionale, ideologico e politico formatosi nel '43-48 con quanto di nuovo, di irreparabilmente nuovo, s'agitava nell'Italia figlia della modernizzazione doveva rivelarsi un'impresa sempre più difficile. Da una parte

stavano una Costituzione tanto ambigua quanto paludata
da una vuota reverenza di maniera; stava l'egemonia di un
partito solo sapientemente corretta da un consociativismo
dietro le quinte; stava una vita pubblica dominata dappertutto da estenuanti procedure, gestita con un sistema
bizantino di mediazioni, interdetti e compromessi, amministrata da gerontocrazie consumate; stavano poteri forti
decisi a restare forti per sempre. Stava un paese immobile.
Che forse allora non era ancora completamente tale ma
che certo si stava avviando rapidamente ad esserlo nel giro
di pochissimi anni. Gli si contrapponevano dall'altra parte
un'eruzione di energie disordinate, un affastellarsi di idee
radicali e no, di propositi concreti e di velleitarismi astratti
o pericolosi, ma anche una richiesta generale di verità pubblica e privata, un desiderio di far corrispondere le parole
ai fatti, e soprattutto il bisogno di voltare pagina.

Tra le due Italie la partita fu impari; anzi neppure ci fu.
Il quadro politico-istituzionale, l'Italia del 1943-48, si rive-
lò abbastanza forte da non farsi in alcun modo contamina-
re dalle profonde novità dei tempi e da conservarsi più o
meno immutato al suo posto. Dal suo canto, il '68 mantenne a lungo un volto politico troppo rozzo e distruttivo per
risultare accettabile e poter lasciare davvero il segno; né
vi fu alcuno che, allora o dopo, ha saputo o voluto tirarne
fuori un altro adeguato. Il destino italiano si avviò così ad
essere quello di un paese orfano due volte: da una parte la
Repubblica continuò sempre più ad essere solo politica,
sempre più priva di radici vere nella realtà nuova dei tempi;
dall'altra, l'Italia nuova del '68 era destinata a restare solo
un fatto culturale e antropologico, senza mai riuscire ad
avere un compiuto ed effettivo esito politico-istituzionale.
Incontri tra l'una e l'altra ce ne sono stati, naturalmente, e
anche significativi (l'ampliamento della sfera dei diritti individuali e collettivi, per esempio) ma tutti i tentativi di far
combaciare realmente i due ambiti dovevano rivelarsi vani.
Il «modello di pensiero repubblicano» non sarebbe mai

divenuto prassi istituzionale; la *koiné* repubblicana, priva di una forma politica adeguata, non sarebbe mai riuscita ad amalgamare Stato, società e individui. Ancora una volta sull'orizzonte della storia nazionale era destinato ad aleggiare così il solito spettro dell'«occasione mancata».

Per tanti, come per me, quel paese orfano due volte ha voluto dire una duplice, tormentata fedeltà nella quale si è consumata la mia, la nostra età matura. Per un verso la fedeltà alla Repubblica, e dunque fedeltà alla sua vicenda, alle sue fragili glorie, alle sue leggi e alle sue istituzioni, alle esili figure di donne e di uomini chiamate a rappresentare entrambe. E però, anche, per un altro verso, la necessaria fedeltà alla propria biografia, alla volontà di cose e di strade nuove da cui essa è stata segnata, la fedeltà all'impegno preso tanti anni fa di non farsi fermare né dai rispetti gerarchici e dalle idee ricevute né dai tabù del passato. Neppure da quelli nati e cresciuti all'ombra della Repubblica.

Per entrambe queste vie si è espressa la vocazione di una generazione alla storia e insieme alla modernità, nella quale oggi, voltandomi indietro, mi sembra di ravvisare il suo più autentico tratto distintivo. E sempre per quelle vie si è espresso in un certo senso anche il mio modo di pensare l'Italia, o per dirla più pomposamente la mia identità d'italiano. Dalla vicenda biografica, infatti, mi sembra oggi di essere stato destinato non solo a pensare questo paese da due punti di vista all'apparenza opposti, ma anche a viverlo ogni giorno con un'emozione dal segno duplice e in certo senso contraddittorio. Penso l'Italia convinto che la nostra storia richieda la modernità come un compimento ineluttabile a cui è impossibile sottrarsi se si vuole essere fedeli alle premesse stesse da cui è sorto lo Stato nazionale, se si vuole restare legati a quella parte di mondo che da sempre è il nostro. Ma dall'altro lato non mi abbandona l'idea che la medesima storia che ci obbliga alla modernità richieda di essere salvata dagli effetti distruttivi della stessa. Le pagine di questo libro spiegano perché, parlando dei valori, dei paesaggi, delle città, delle opere dell'ingegno che la storia ha depositato in questa contrada facendo di noi ciò che oggi siamo. La mia generazione, mentre si schierava dalla parte delle *res novae* ha fatto però ancora a tempo a sentire l'insieme di questo lascito del passato come il fondo decisivo, vivo e pulsante, della propria identità. Abbiamo voluto scommettere, e abbiamo sperato, che anche nel futuro avrebbe potuto continuare ad essere così. Apparentemente l'esito della scommessa è ancora incerto. Ma via via che passano i giorni la speranza diviene sempre più tenue, e il passato sembra prendere il colore evanescente del superfluo consegnandoci solo a un grigio presente.

# Indice dei nomi

# Indice dei nomi

Finito di stampare
nel mese di agosto 2022
presso Rotomail Italia S.p.A. – Vignate (MI)